井口嘉則 著
飛高 翔 作画

マンガでやさしくわかる事業計画書

ダウンロードサービス付

Business plan

日本能率協会マネジメントセンター

ダウンロードサービスについて

本書の特典として、事業計画の立案、また、事業計画書の作成に役立つ下記のフォーマットを下記のサイトよりダウンロードいただけます。STEP 6では、事業収支計画入力シートをもとに解説しますので、ぜひご活用ください。

■ダウンロードサイトURL■
http://www.jmam.co.jp/book/4835.html
http://www.iguchi-yoshinori.com/tool ←こちらからもダウンロードできます。

●アイデア記入シート.doc （Microsoft Word 97-2003）
●事業収支計画入力シート.xlsx（Microsoft Office Excel 2007）
●事業計画書テンプレート.pptx（Microsoft Office PowerPoint 2007）

はじめに

　前著『ゼロからわかる事業計画書の作り方』（日本能率協会マネジメントセンター）を出版してから約3年半になります。幸い、事業計画書を作るためのフォーマット集や実際の作成事例を掲載したこと等で好評を得てきました。私自身も、この本を新規事業セミナーでご紹介したり、企業向けの新規事業ワークショップでテキストとして使用してきたりしました。

　一方、その間、私は大学でも教鞭をとるようになり、最近の大学では、企業との提携関係が深まり、大学生が特定企業に商品アイデアを提案したり、事業アイデアを提言したりするようになっていることを知りました。中身を聞いてみると、「もう少しこういうことを考えたらなぁ」「こういう観点から検討するともっといいんじゃないか」などいろいろとアドバイスしたくなります。前著を紹介したりしてみましたが、最近の大学生にはもっとわかりやすい本の方がいいように感じていました。

　そんな折、出版社から「マンガで事業計画書のことを書いてみませんか」と、誘いがありました。最近マンガを使ってわかりやすく解説する本が流行っているのを知っていましたが、それを聞いて、「ああ、事業計画書を作るプロセスをマンガにしたら面白いかな」と、直感しました。そして、この本を作るプロジェクトがスタートしました。主人公を誰にするか、どんな設定にするか、どんな商品・サービスにするか、どんなストーリーにするかなど、編集者やマンガ家さん達と繰り返し議論を重ねてできたのがこの本です。

読者の皆さんには、事業計画書を作成するプロセスとともに、主人公が泣き笑いするストーリーも楽しんでいただければと思います。

実は、私がワークショップなどで初心者の皆さんにビジネスプランの作成を指導しているプロセスも、今回のストーリーとよく似ています。まずはアイデア出しから始まり、その肉づけを行い、リサーチをかけてどんどん具体化していきます。そして、売り上げや利益などを事業収支計画表の形で作成し、最後は事業計画書としてプレゼンします。

このプロセスは、例えてみると、高い山に登ることに似ていて、結構長い道のりとなります。本を片手に一人で取り組む人のなかには、その大変さに途中であきらめてしまう人もいるかもしれません。しかし、粘り強く取り組み、最後までたどり着くことができた人には、大きな達成感が待っています。ひょっとするとそこから、人生の大きな転機が訪れることがあるかもしれません。そんなチャンスが、ビジネスプラン作成には潜んでいます。

実家の造り酒屋で新規事業を始めようとする主人公の花垣碧《はながきみどり》も同じです。粗削りながらも情熱だけは人一倍持ち合わせています。たまたま居合わせた小篠の厳しい特訓を受けて、途中くじけそうになりながらも、何とか食らいついていき、事業計画書を作り上げるところまでたどり着くことができました。

この本を手にする読者の皆さんも「自分の商品アイデアを形にしてみたい」「何かひとつビジネスプランを作ってみたい」「事業計画書を作らなければならないが、初心者にもわかりやすいものはないか」など思われていることでしょう。そうであれば、まず碧のケースを、マンガ部分だけでもひと通り読んでみましょう。そして、全体の流れがわかったら、今度はあなたが主人公になって、ストーリーを自分で体験してみましょう。碧と同じような悲喜こもごもの体験をすることができると思います。

時には、小篠のような相談相手が欲しいと思うことがあるかもしれません。そうしたら、誰か相談できる人を探すか、親しい人に語りかけてみましょう。経験豊富な小篠のようにはいかないかもしれませんが、一人だけで考えるよりも絶対に有益です。

日本は、経済の成熟化と少子高齢化、災害・環境問題、領土問題などいろいろなことに頭を悩まされていますが、いつの時代も、志ある人にはチャンスの扉が開かれています。ビジネスプラン作成という高い山に登ることができれば、そこからあなたの眼前に新しい世界が開けてくるかもしれません。どうぞ頑張って登ってみてください。

二〇一三年四月

井口　嘉則

マンガでやさしくわかる事業計画書

目次

プロローグ
事業計画書って何だろう？

それを学べば
誰だってアイデアが出せるようになる！

STEP 3

商品・サービスを検証する

そのためには
まわりが「ぜひ一緒にやらせてくれ」って
思うようなプランを
君が作るんだよ

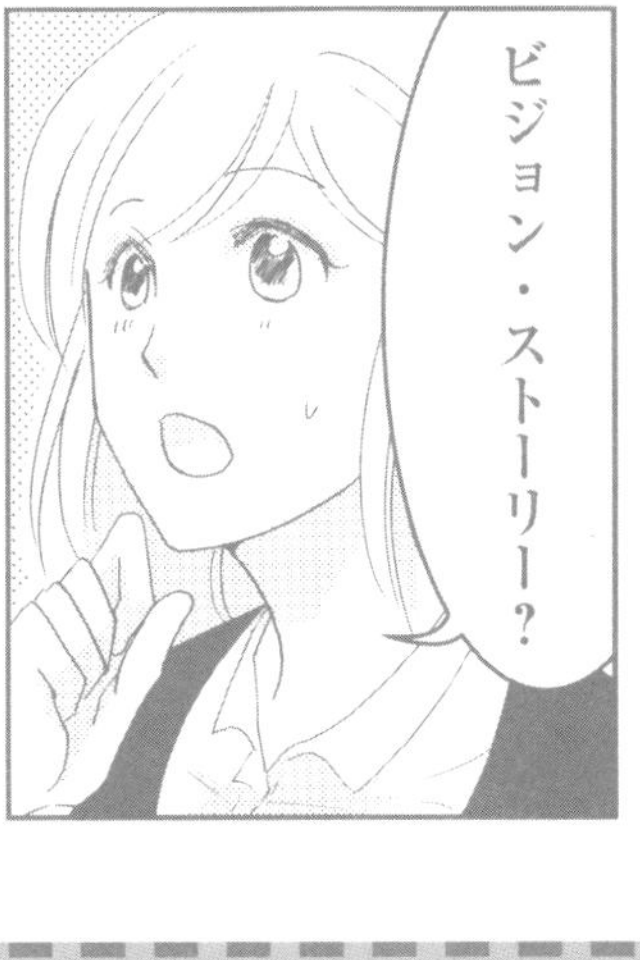
ビジョン・ストーリー？

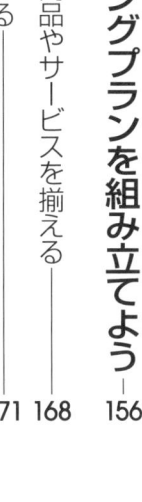

STEP 6 事業収支計画を作る

しかしなぁ
お金を借りて事業をやって
もし失敗したら
それだけ借金を
背負うことになるんだぞ
それでもいいのか?
君にそれだけの
覚悟があるのか?

STEP 7 アクションプランを立てる

エピローグ

事業計画書にまとめる

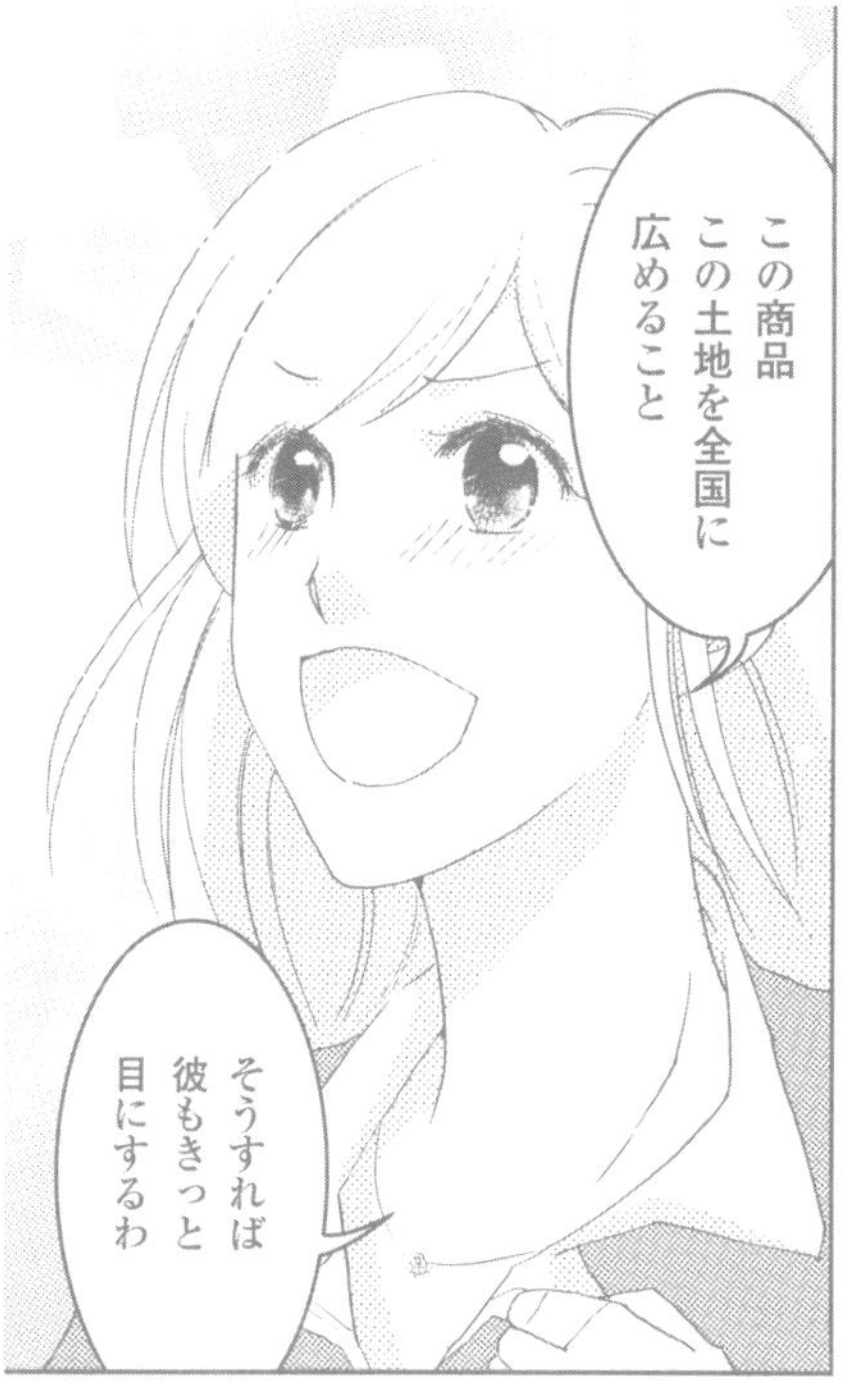

この商品 この土地を全国に 広めること
そうすれば 彼もきっと 目にするわ

プロローグ

事業計画書って何だろう？

STORY 0 碧、故郷に帰る

STORY 0
碧、故郷に帰る
私は花垣碧《はながきみどり》
ここ「恵那酒造」の長女です
父の急逝を受け勤めていた食品メーカーを退社
地元に戻ってくることを決心しました
しかし……
ダメだ…このままじゃ
ズーン…
つぶれる…

経営は危機的状況
酒を造って売り続けるビジネスに限界を感じています
うーんうーん
地元の商店街も寂れているし
葬儀に来てくれたお得意さん達も景気が悪いって言ってたし
ここはひとつ私が奮起して
碧～
がんばれ～
長女スイッチON
恵那酒造を…地元を再建してみせる！
お酒の化粧品？
恵那酒造　杜氏
賀茂 鶴吉
碧の母
花垣 寿子

そう！
酒のエッセンスで
化粧品を作ったら
どうかな
ほら昔から
「杜氏の手はきれい」
っていうじゃない
私も東京に出た
ばっかりは友達から
「お肌つるつる」
ってほめられたし
女性って
お肌のことに
敏感だから
きっと
売れるよ！

すてきなアイデア
だと思うけど…
お父さんも
そんなこと
やらなかったし…
碧ちゃん
そんな甘い考えじゃ
うまくいくはずがないよ
それよりも
そんなこと言っていないで
一軒でも多く営業
回ってくれよ
マーケティング部
とやらにいたから
得意だろそういうのは
そうよ
碧
それよりラベル貼り
手伝ってちょうだい
はくたけ
お酒のエッセンスの
化粧品よ
アンチエイジングが
はやっているじゃない！
女性は化粧品に
お金を出すのよ
売れるに決まってるじゃない
だんっ

それなのにアイデアを聞こうともしないなんて
頭固いよみんな！
そんなんじゃうまくいかないいな
ガタ
え？何よ
そんなんじゃうまくいかないって言ってるのさ
それはいくらくらいなんだ？
え？なんのこと？
だれ？
だから君が考えている商品はいくらくらいなんだ？
ああ、そうねぇ1000円くらいかな
いや欲しい人には2000円でも売れるかも

で、その商品は
誰が買うんだ？
女性よ
女性に決まってるでしょ
いや男性でもお肌に
悩んでいる人には
いいかも～
キャー
どこのどんな
女性だ？
日本中の女性よ
海外の女性でもいいかも
「ジャパニーズ・サケ・
エッセンス」なんちゃって
それで
その人達に
どうやって売る？
今の時代だから
インターネットで
売るのよ
じゃあ
君のその商品が
ネットの
どこにあるか
そもそも存在
しているかどうか
どうやって
世の中の人は
知るんだ？
え…
みんなそれで
売ってる
じゃない
いけない？
ダメだな
そんな
甘い考えじゃ
売れるようには
ならない

それで新規事業だ
再興だと言うんじゃ
ちゃんちゃらおかしい
………
じゃあ
私に教えてよ
うまくいくやり方ってやつを！

君が本気ならね
本気よ！
私は本気
ガタ
まず事業を起したいなら事業計画書を作らなきゃいけない いわゆるビジネスプランってやつだ
事業っていうのは複雑で ただ商品を作って売れればいいってもんじゃない
仕入れもあるし 機械などの投資が必要なこともある そうすると元手が必要だ 自分の持っているお金でできればいいが それ以上にお金がかかるとなると 銀行からお金を借りたり 協力者に資金を出してもらう必要がある
ガリ ガリ
人様からお金を借りるには口約束じゃダメだから紙に書いたものが必要だ
それが事業計画書だ どうだわかるか？
じー
うぐっ
…それくらいまでならなんとか

スッ
その事業計画書を作るには7つのステップが必要なんだ
この7つのステップを踏んではじめて協力者を集められる事業計画書ができる
①アイデアを出す・ふくらませる
②やる理由と目指す方向を明らかにする
③商品・サービスを具体化する
④ストーリーと型で商品・サービスを磨く
⑤売れの道筋を作る（マーケティング）
⑥事業収支計画を作る
⑦アクションプランを立てる
…わかりましたでもどうやって作れば…
知りたいか？
…はい

よしわかった
そっちが本気なら
明日、君の家に
行って話をしよう
君んちは
あの造り酒屋だろ？
そうです
でも明日は
母もいますよ
お母さんがいて
何かまずいこと
でもあるのか？
むっ
いいえ　でも
私のアイデアに
反対しているから…
反対して
いるからこそ
聞いてもらうん
じゃないか
でも…
なんだ？
ギロリ
ぴゃ
強引…
じゃ　明日
うちで
うむ
たけ
酒屋
ということで
私はこの人に
教えを請うことに
なりました

01 なぜ事業計画書が必要なの？

▼どう事業を進めるかを書面で明らかに

せっかくの計画に賛同が得られず、やけを起こしている主人公の碧は居酒屋で得体の知れない人物から「事業計画書」の必要性を説かれます……。

そもそも、この事業計画書とは何でしょうか？

事業計画書とは、平たく言うと、どのように事業を進める計画かを書面で表したものです。ビジネスプラン（Business Plan）とも言います。事業計画書、ビジネスプラン、どちらの言い方もよく使われています。それは、新規事業の事業計画のことを指すこともありますし、既存事業（今ある事業、今回で言えば、酒造り事業です）の事業計画を指すこともあります。この本では、特に断りがない限り新規事業の事業計画書のことを指すことにします。

▼アイデアを具体化するのに必要になる

では、なぜ新規事業に事業計画書が必要なのでしょうか？

その理由は大きく分けて2つあります。

ひとつは、事業の提案者（ここでは主人公の碧）または推進者自身が自分の構想を具体化するために必要となるという点です。

物語のなかで碧は、自分の思いつきは素晴らしいと喜んでいますね。確かにアイデアそのものはいいかもしれませんが、実際にそのアイデアを実行に移す段になって、例えばどんなものをどう作るのか、どう売るのか、売って、果たして儲けられるのかを考えてみると、まだ何も具体化していないことに気づくはずです。

そうすると、何らかの形で自分で思いついたことを形にしていく、紙に落としていくことが必要になります。それが事業計画書です。

事業計画には、後ほど述べるように、目的や事業内容、事業収支、取引先など、たくさんの要素、側面がありますから、それぞれの観点から事業が検討されていなければなりません。

最初は、ちょっとしたひらめきだったとしても、その後、肉づけをして行ったら、世の中を変えるような大きなアイデア、ビジネスになることだってあります。

しかし実際は、自分が得意な分野ばかり詳しくて、そうでないところの検討が不足しているケースをよく見かけます。そうすると、まず、自分自身にとっての事業計画としても不足部分があることになります。

▼**自分のプランに人を巻き込む**

さて、もうひとつの理由は、他の人に説明する、理解を得るためです。

他の人とは、この物語の場合、母親や杜氏の鶴吉さんです。会社であれば上司や事業開発部、場合によっては役員や社長にまで事業の内容案を説明しなければなりません。現に、鶴吉さん達は、碧のアイデアに理解を示してくれません。そうした際に、少なくとも本書で述べるような項目をカバーした事業計画書を書けていれば、説得力に大きな違いが出てきます。

ただ言葉で説明しただけでは、なかなか相手を説得、納得させることはできません。もし、自分が起業して、事業に必要なお金を、公的機関から助成金を得ようとしたり、銀行などの金融機関から借りようとしたり、ベンチャーキャピタルと言って、ベンチャー（※1）に対して出資することを専門にしている人や企業からお金を出してもらいたい（※2）と思ったら、彼らに説明し、OKをもらわなければなりません。彼らは、お金を出してもいいかどうかを判断するために、あなたが

※1　何もないところから、将来成長が見こまれる新規事業を立ち上げようとする会社。
※2　これを「出資」と言う。

考えたプラン（計画）を、それで本当に事業化できそうか、お客様が喜びそうか、その値段で売れそうか、出したお金が回収できそうかなど、いろんな観点で検討します。

この物語でも、碧が新商品を開発するのに自分ではまかないきれないお金が必要なことがわかって、町の人や銀行に助けを求めます。ですから、助けてくれる人達がお金を出してもいいかどうか、その検討に必要な事柄は事前に検討しておいて、いつでも説明できるようにしておかなければならないのです。

良いアイデアだと思って始めて、事業計画書に具体化していくと途中で矛盾が生じてきたり、アイデアの内容そのものを見直さなければならなくなったりするケースは、これまで指導してきたなかでもたびたび出会いました。ですから、いいアイデアが出ること自体はいいのですが、本書に書いてあるような内容できちんと肉づけしてみて、最初から最後まで筋の通った計画にできるかどうか、確かめてみましょう。本書を読んで、あなたのアイデアをひと通り具体化で来たら、きっといいものに出来上がっていることでしょう。

例えば、新規事業の提案を求められているのに肝心のアイデアが浮かばないという人がいても大丈夫です。本書では、まずアイデアを出すところから始められるように解説してあります。

主人公の碧も小篠がコーチ役になって、この後、アイデアの100本ノックを受けることになります。あなたも碧と一緒になってアイデアを出してみましょう。

02 事業計画書作成の7ステップ

事業計画書作成にはアイデア出しから完成まで、大まかに7つのステップに分けられます。

◎STEP1　アイデアを出す・ふくらませる
◎STEP2　やる理由と目指す方向を明らかにする
◎STEP3　商品・サービスを検証する

◎STEP4　ストーリーと型で商品・サービスを磨く
◎STEP5　売れの道筋を作る
◎STEP6　事業収支計画を作る
◎STEP7　アクションプランを立てる

図0-01 事業計画書作成の7ステップ

STEP 1
アイデアを出す・ふくらませる

↓

STEP 2
やる理由と目指す方向を明らかにする

↓

STEP 3
商品・サービスを検証する

↓

STEP 4
ストーリーと型で商品・サービスを磨く

↓

STEP 5
売れの道筋を作る

↓

STEP 6
事業収支計画を作る

↓

STEP 7
アクションプランを立てる

▼STEP1　アイデアを出す・ふくらませる

新規事業には、どのような新商品・新サービスを提供するのかが初めに必要です。そのためには新商品・サービスのアイデアが必要です。そのアイデアは、通常、一行アイデアから始まります。

例えばこんな具合です。

◎例1：音楽のダウンロードができる携帯音楽プレーヤー……iPod

◎例2：ワンタッチですいすい切符代わりのICカード……suica等の交通系ICカード

◎例2：タッチ操作で持ち歩けるパソコン……タブレット端末等

最初は、一行程度で表せるアイデアからスタートします。なるべくたくさんアイデアを出しておいて、後で良いものを選びます。

ベンチャーから身を起こし、現在成功している経営者達も、必ずしも現在の事業を決め打ちで立上げてきたわけではありません。いろいろとアイデアを出した上で、その中から成功確率の高そうなものを選んで事業化してきているのです。

▼STEP2　やる理由と目指す方向を明らかにする

アイデアを出したら、次は何をしたらいいでしょうか？

ここからいきなり商品やサービスの具体化に入りたいという方もいるかもしれません。

ですが、ちょっと待ってください。

いきなり細かいところに入ると、森の中で道に迷うことになります。少し遠回りに見えても、そのアイデアを実現する必要性や、商品化してどんなことを実現したいのかなどを明確化しておきます。少し青臭いと思えるかもしれませんが、それによって後で道に迷わなくて済みます。

長く続く事業は、事業目的や目指す方向が最初からはっきりしています。

▼STEP3　商品・サービスを検証する

新商品・サービスはお客様あってのものですから、どのようなお客様をターゲットにするのかをはっきりさせる必要があります。

物語では、おもに女性がターゲットですから、何歳ぐらいの女性なのか、どこに住んでいる女性なのか、どのようなニーズを持っているお客様なのか、例えば肌荒れがしやすいとか、敏感肌であるなど、対象とするお客様像をはっきりさせる必要があります。

新商品・サービスを販売する際に、その商品・サービスは既存のものがあるのか、どれくらい売れているものなのか、たくさんの類似商品があるものなのか、高い値段で売られているものなのか、昔からあるものなのか、それとも最近出てきたものなのかなど、その商品・サービスを取り巻く環境・状況を調べておく必要があります。

新しいものを売ろうとする時は、ターゲットとするお客様はこうしたニーズを持っているだろうという想定で開発を行います。

この物語でも、碧は、女性に受けるに違いないと思い込んでいますが、売れるか売れないかは、出してみないとわかりません。とは言え、どれくらい売れそうか、いくらぐらいなら売れそうかという見当をつけておく必要があります。そうした見当をつけるには、ターゲットに相当する人、近い人に当たってみる必要があります。

また、どんな商品・サービスでも、競合やライバルに相当するものはあるものです。例え、この商品・サービスは、絶対他にないと信じていても、インターネットで調べてみると、類似商品やそれに代わるものはあったりします。ですから、お客様目線でライバルを洗い出し、比べてみる必要があります。

▼STEP4　ストーリーと型で商品・サービスを磨く

あなたが、これまで購入した新商品・サービスで、リピート購入したものはありますか？

あったら、それは初めて購入した時に、あなたはどのような体験をしましたか？　例えば、食品であれば、「これはうまい！」とか、電化製品であれば、「これは便利！」といったように、感動した体験があるのではないでしょうか？

このように新商品・サービスとして世の中に出すとしたら、それは、お客様に喜んでもらえる、いや、もっと言えば、感動してもらえるような商品である必要があります。

では、どのような商品・サービスであれば、感動してもらえるでしょうか？　それを想像するために書くのが「ビジョン・ストーリー」です。

将来、お客様にこんな風に喜び、感動してもらいたいということをストーリーで描くので「ビジョン・ストーリー」と言います。

▼STEP5　売れの道筋を作る

さて、ここまで来たら商品やサービスの詳細部分を決めていきます。サイズや中身、包装形態などもそうですね。それと、商品・サービスは、一種類とは限りませんから、商品ラインという考え方で、品ぞろえも考えておかないといけませんね。

酒由来の化粧品って、どんなものが考えられますか？　クリーム？　化粧水？　はたまた……？

いろいろと考えられますが、一般の人が抵抗なく買えるのは何でしょうか？

▼STEP6　事業収支計画を作る

アイデアを出すのは得意で好きだけど、お金の計算は苦手という人もいます。本田技研工業の創業者、本田宗一郎さんもそうでした。ですから、営業やお金に強い藤沢さんという人を相棒にしたのです。一方の碧にも試練が訪れます。この物語では、酒蔵が赤字のため新規事業を始めようとしているわけですから、新規事業をやってお金が儲かるようになるかどうか計算しないといけません。

会社は、お金がなくなると倒産してしまいます。ですから、苦手でもまず取り組んでみましょう。碧も頑張ります。

お金が儲かるか儲からないかは、入ってくるお金と出ていくお金の差でわかります。

誰にもできないと言われていたＪＡＬの再建を果たした京セラ創業者の稲盛和夫さんは、ＴＶの会見でも実にシンプルなことを言っていました。「入るを量って、出ずるを制す」つまり、なるべくたくさん入ってくるようにして、出ていくお金を抑えるということです。そのためには、入ってくるお金にはどのようなものがあって、いくら入ってくるか、出ていくお金にはどのようなものがあって、いくら出ていくかをつかんでおく必要があります。

STEP7　アクションプランを立てる

さあ、お金の計算ができたら、それに向けて行動です。会社組織の場合は、複数の人で動くので、実行体制が必要です。営業が得意な人、開発が得意な人、製造が得意な人などと、人それぞれ強みが違いますよね。

さて、では、物語に登場する恵那酒造の杜氏、鶴吉さんは、何が得意でしょうか？

そう、製造ですね。杜氏さんですから、お酒の製造です。では、営業は誰がやるのでしょうか？

そうしたことをあらかじめ考えておくのがアクションプランです。

03 事業計画書の全体像をつかむ

▼大きく分けて8つのパートで構成される

事業計画書は、大きく下記の8つのパートに分かれています。

①はじめに（↓STEP2）
②事業計画概要（↓STEP2〜5）
③当社が取り組むべき必然性
④事業化方法とステップ（↓STEP5）
⑤事業収支計画とファイナンスプラン（↓STEP6）
⑥事業責任者と経営体制（↓STEP7）
⑦本提案に伴うリスク（↓STEP7）
⑧今後の検討課題（↓STEP7）

●表紙

図0−02 事業計画書の全体像

（1）はじめに（STEP2）
誰が、何のために提案するのか、その背景と概要を説明します。

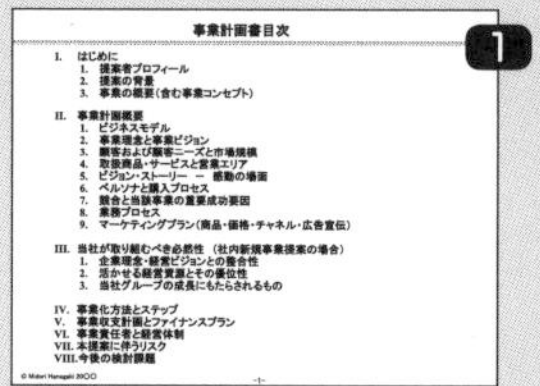

●事業計画書目次

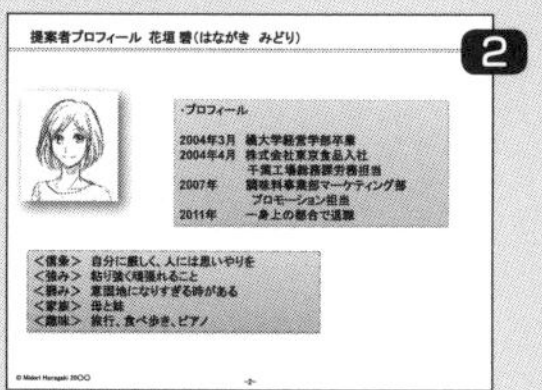

●提案者プロフィール

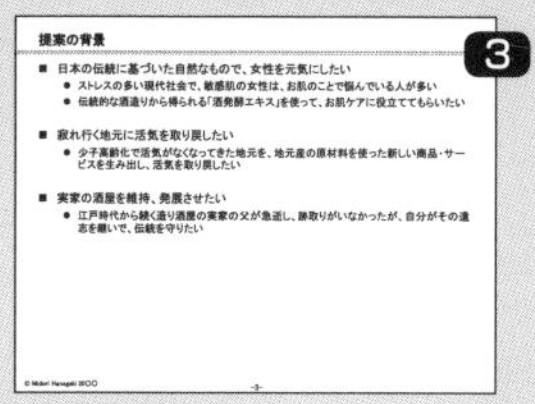

●提案の背景

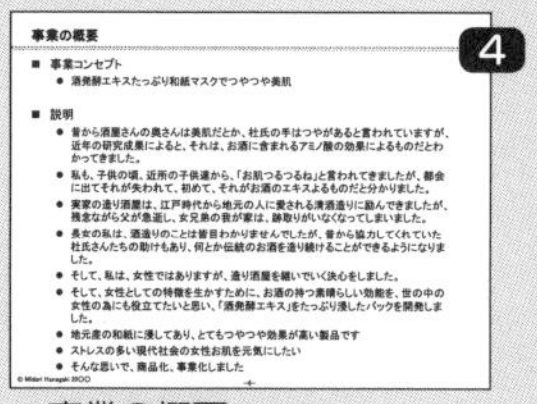

●事業の概要

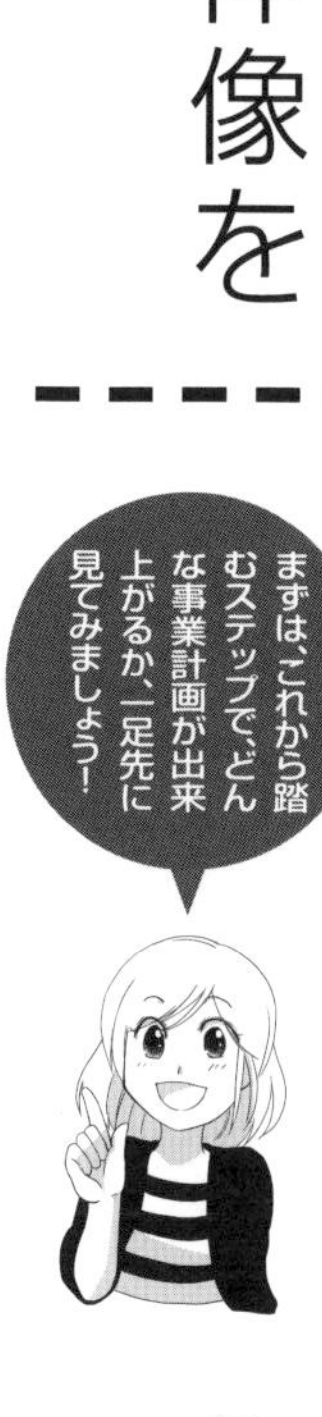

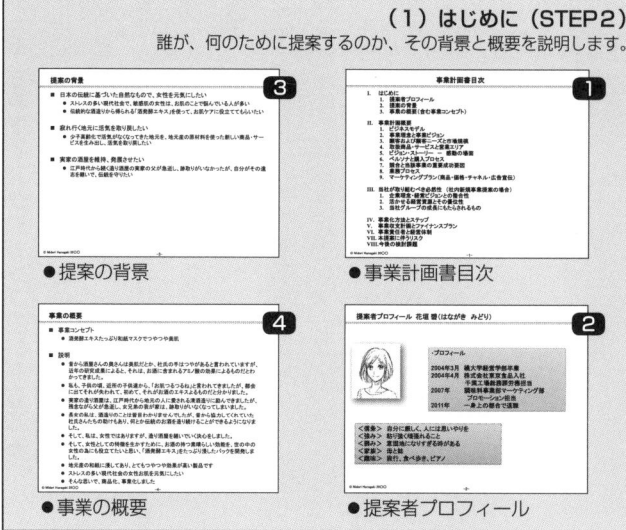

（3）当社が取り組むべき必然性（154頁、119頁）

社内の新規事業提案の場合に必要なパートです。

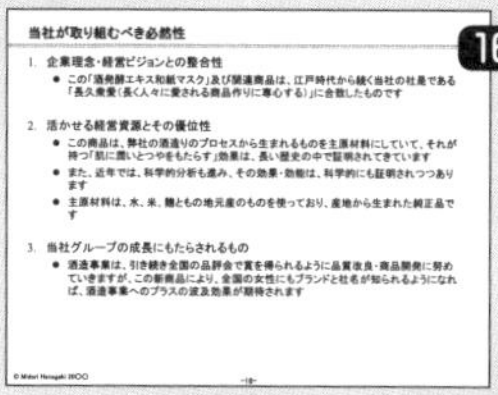

●当社が取り組むべき必然性

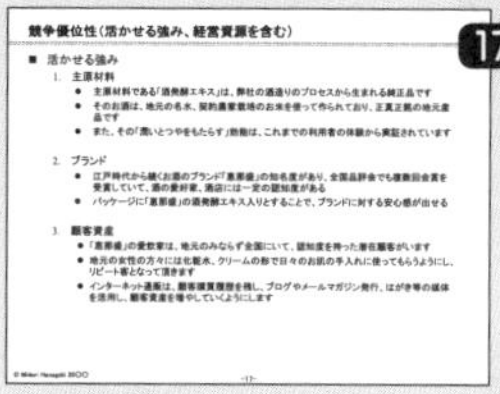

●競争優位性

（4）事業化方法とステップ（178頁）

どのような方法で事業化していくかを説明するシートです。

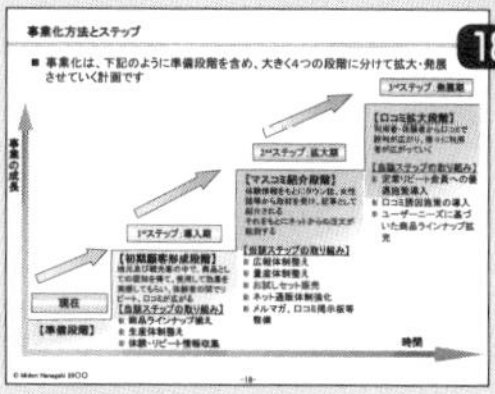

●事業化方法とステップ

（2）事業計画概要（STEP2〜5）

もっともボリュームのあるパート。ビジネスモデルや事業理念、事業ビジョン、顧客や市場の分析や商品の詳細、マーケティングプランなどを説明します。

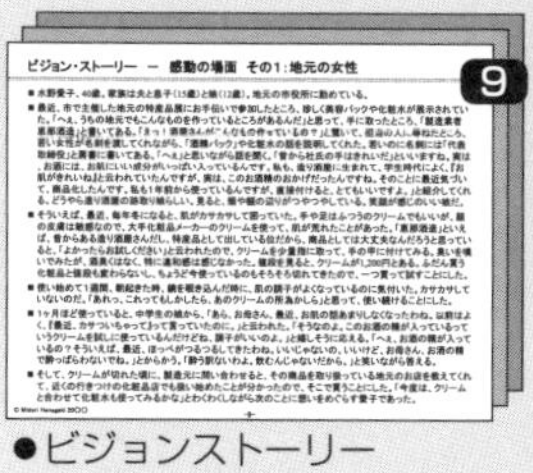

●ビジョンストーリー

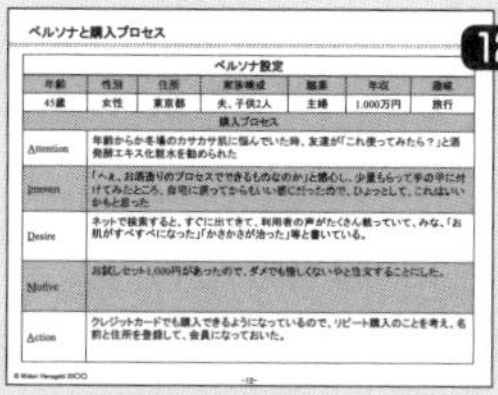

●ペルソナと購入プロセス

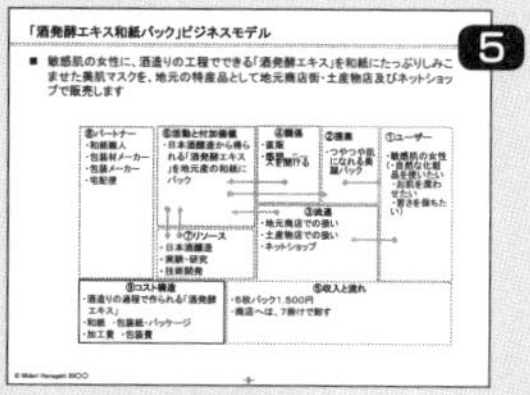

●ビジネスモデル

●競合と当該事業の重要成功要因

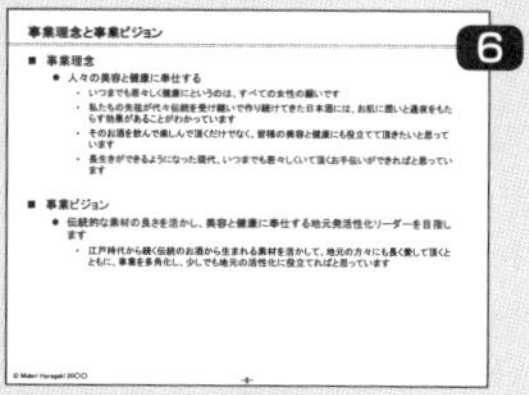

●事業理念と事業ビジョン

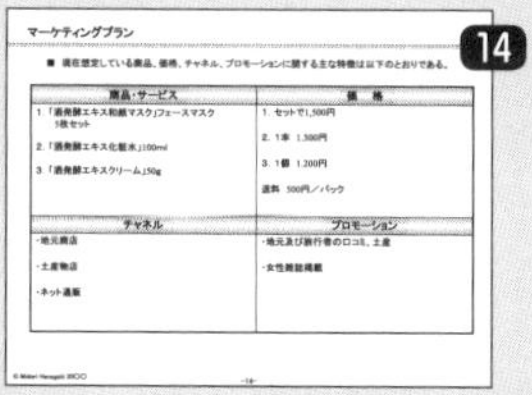

●マーケティングプラン

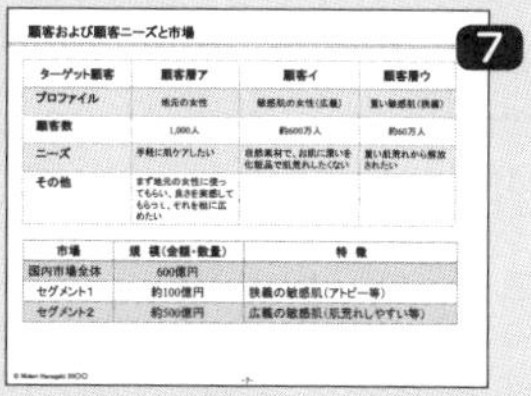

●顧客および顧客ニーズと市場

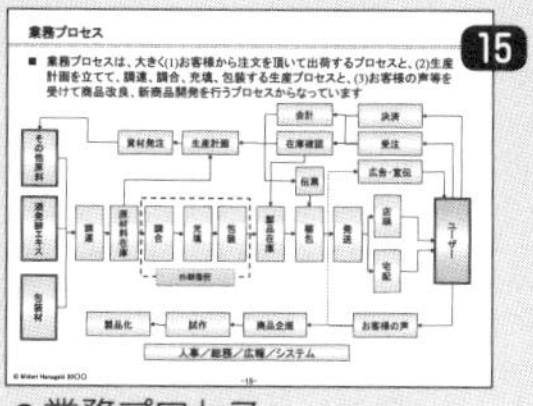

●業務プロセス

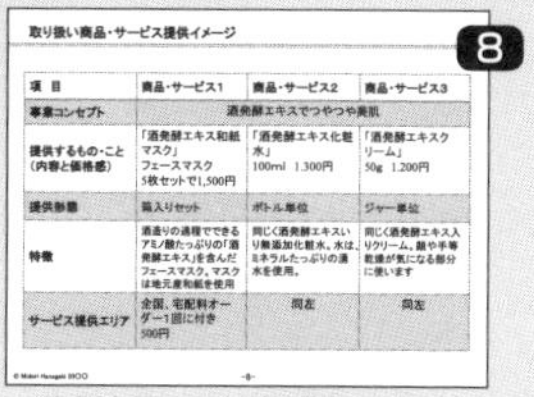

●取扱商品・サービス提供イメージ

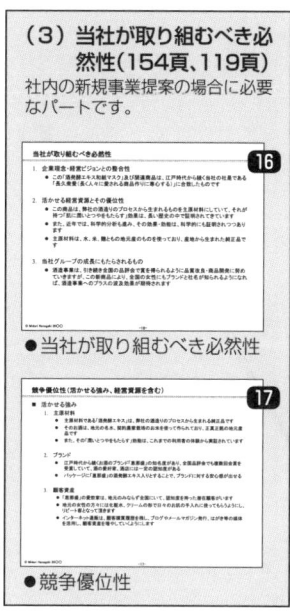

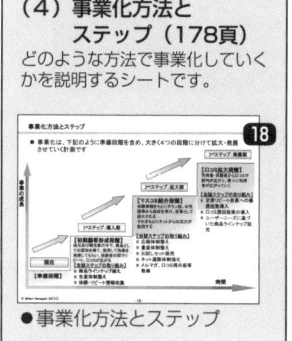

Excelの事業収支計画シートや、この事業計画書のテンプレートはダウンロードしてください。詳しくは、2頁を参照してください。

（5）事業収支計画とファイナンスプラン（STEP6）

前提となる条件や、Excelの事業収支計画シートで計算した結果を掲載します。

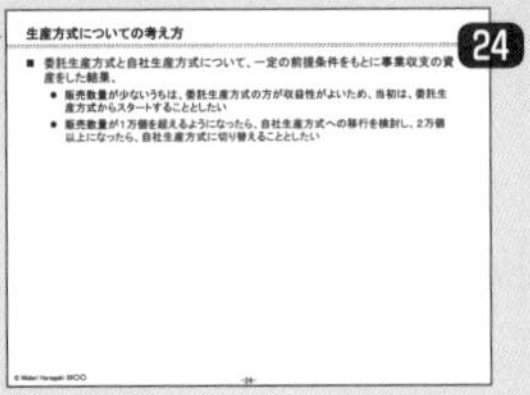

●生産方式についての考え方

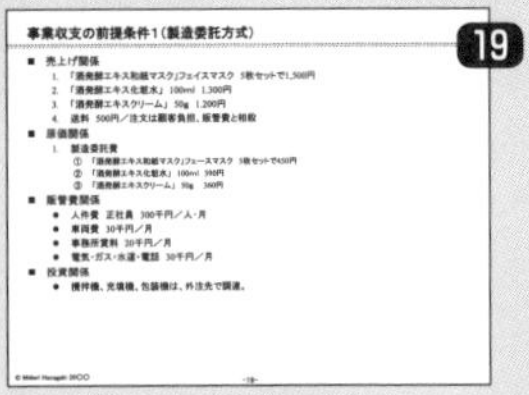

●事業収支の前提条件

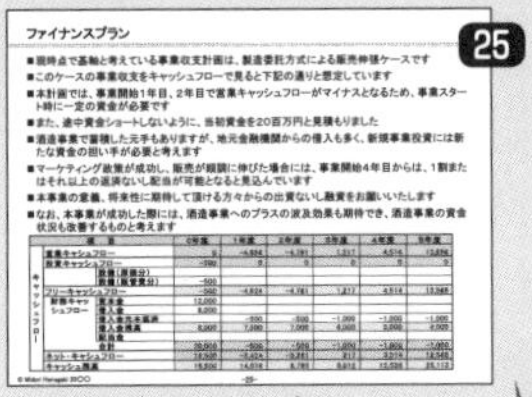

●ファイナンスプラン

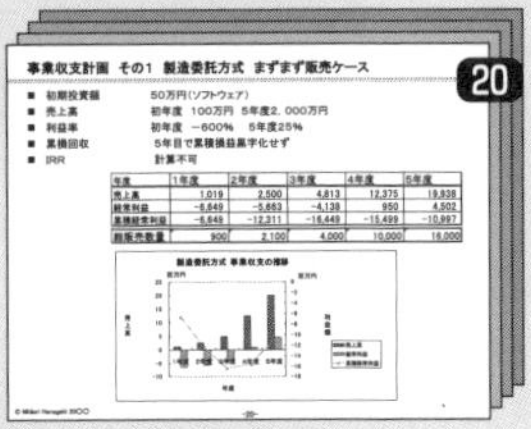

●事業収支計画

収支計算のプロセスがわかる事業収支計画表は、別紙として、最後に添付します。

（7）本提案に伴うリスクと対応（STEP7）

想定されるリスクと対応策を説明します。

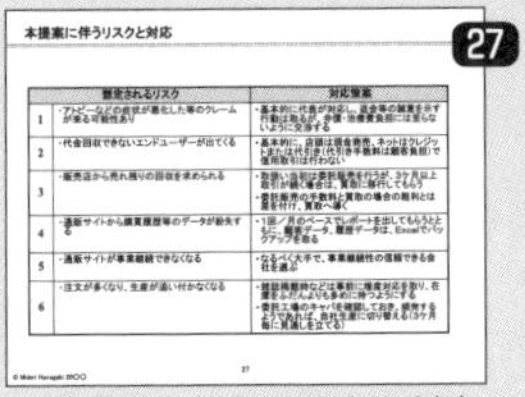

●本提案に伴うリスクと対応

（8）今後の検討課題（STEP7）

提案時点で浮かび上がった課題も、明らかにしておきます。

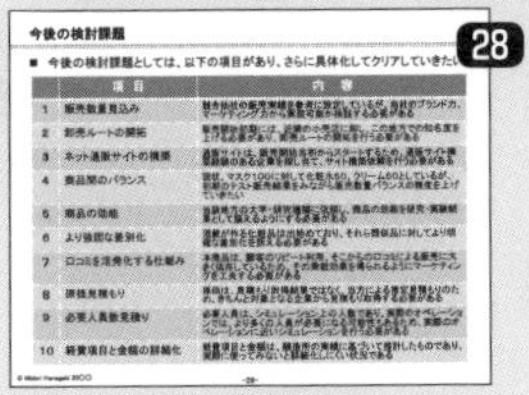

●今後の検討課題

（6）事業責任者と経営体制（STEP7）

実際に事業化を進めるにあたっての体制を説明するシートです。

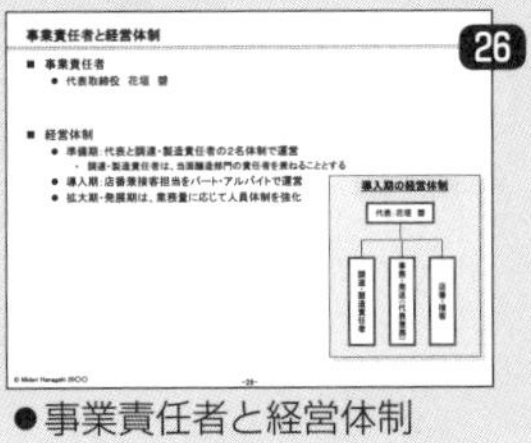

●事業責任者と経営体制

※この事業計画書は巻末（264頁～）に掲載しています。

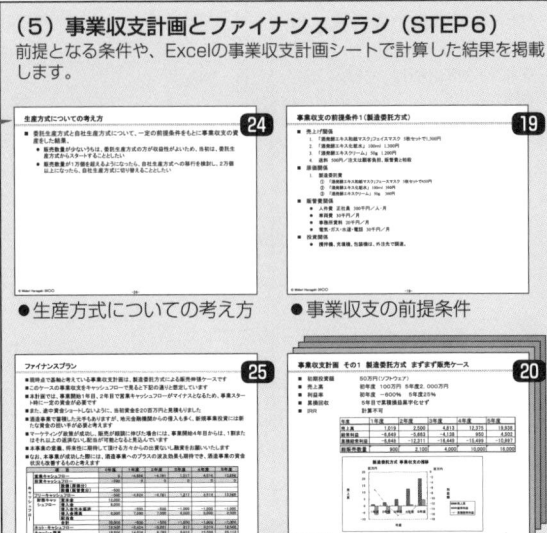

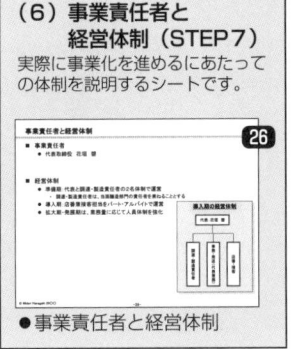

STEP 1

アイデアを出す・ふくらませる

STORY 1 スパルタ講義スタート!?

約束通り来ましたよ！
は　はい！
STORY 1
スパルタ講義スタート!?
今日はわざわざありがとうございます
どうぞこちらへ
こちらこそどうも
碧ちょっと
なぁにお母さん
こそっ
あの人がどうしてうちに来るの？
う～ん昨日知り合いになった…かな

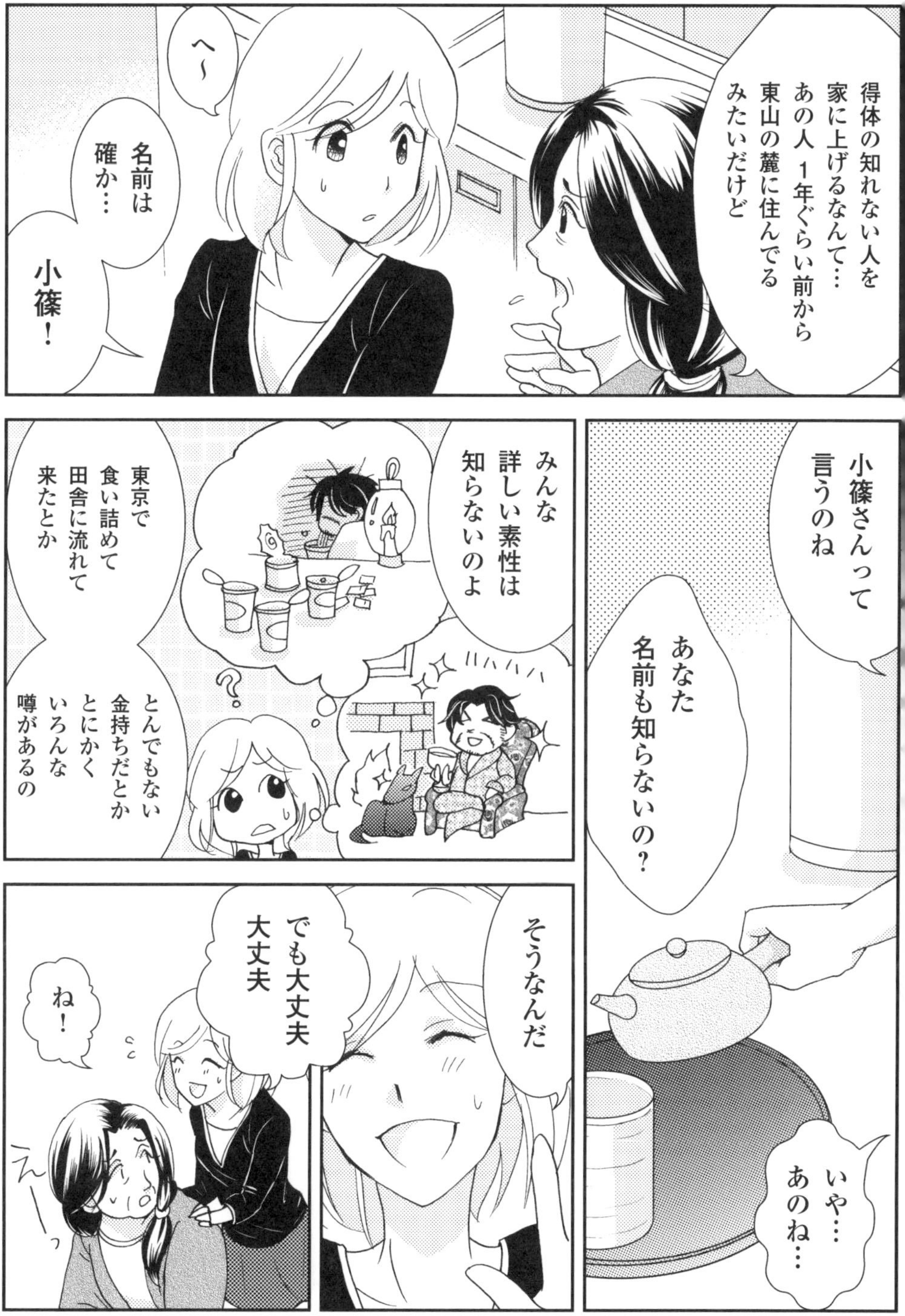
得体の知れない人を
家に上げるなんて…
あの人 1年ぐらい前から
東山の麓に住んでる
みたいだけど
へ〜
名前は
確か…
小篠！
小篠さんって
言うのね
あなた
名前も知らないの？
みんな
詳しい素性は
知らないのよ
東京で
食い詰めて
田舎に流れて
来たとか
とんでもない
金持ちだとか
とにかく
いろんな
噂があるの
いや…
あのね…
そうなんだ
でも大丈夫
大丈夫
ね！

どこの馬の骨とも
わからないのは
気になるけど
背に腹は
代えられないもの
この人に教えを
請うしかない…！
ズ
じゃ
コト
さっそく
始めるか
は
はい

うむ
新しい商品を開発したり 新しく事業を起こすには まず「アイデア」が重要だ
ピッ
idea
例えば パナソニックの創業者 松下幸之助は
最初はひとつの電源を 2つに分けて使える 「二股ソケット」を考案して ヒットさせた
当時は ひとつの電源で電球ひとつしか 灯すことしかできなかったから 例えば電気アイロンを買っても 電球とはいっしょに使えなくて 不便していたんだな
また 今では自動車の 大メーカーになった ホンダも
本田宗一郎が 戦後 物のない時代に 自転車に発電機のエンジンを 取りつけて売り出したら 爆発的に売れたんだ

アイデアってやつは、
人の生活を便利にし
また豊かに
することに役立つ
今この家を見渡して
目に見えるものの
ほとんどすべては
先人達のアイデアの
産物ばかりだ
いいアイデアとそれを実現する
意欲があれば
世の中のために
役立つだけでなく
金持ちになることもできるし
金ができれば
自分のやりたいこと
だってできる
だから、事業の始めはまず
アイデアからなんだよ！

……そんなの
私にできるかしら…
アイデアには 発想の仕方
出し方がある
それを学べば
誰だってアイデアが
出せるようになる!

それはどんな方法なんですか？
いいか 人間の頭っていうのはな 何かテーマを与えると働き始めるんだ
うーん
何でもいいと言われるとかえって何も出てこない
テーマ
テーマ
テーマ
ピ
カーン！
だからまずはテーマ設定してみよう
今回の全体のテーマは「日本酒由来の新商品」だけど
全体のテーマ 日本酒由来の新商品
それじゃあテーマが広すぎるからもう少しテーマを絞って
例えばどんなテーマがある？
食品
化粧品
飲み物
「日本酒を使った食品」とか「化粧品」とか「飲み物」とか

そうだな そういうテーマ設定も あれば
全体のテーマ
日本酒由来の新商品
飲み物
化粧品
日本酒を使った食品
製造工程でできる副産物を使ったもの
日本酒そのものを使ったもの
他のものと組み合わせて できるもの
「製造工程でできる副産物を使ったもの」とか「日本酒そのものを使ったもの」とか
「他のものと組み合わせてできるもの」なんて発想の視点もある
なるほど そういう発想の仕方もあるんですね
だな
ガサ
そういうテーマごとにアイデアを出していってみよう
ぴら
この紙に書いて

No.	アイデア名							氏名
内容（図示）								説明：
新規性	ニーズ	シーズ	独自性	実現性	収益性	規模感	合計	類似アイデア

ぽかん

アイデアは思いついた時に書き留めておく

日本人初のノーベル賞受賞者
湯川秀樹博士は
いつも枕元にメモ用紙を
置いて寝ていたらしい
眠り際や起きがけに
浮かんだアイデアを
すぐさま書き留めて
いたってわけだ
がばっ!
思いついた!
へー
へぇ ノーベル賞を
もらうような人でも
アイデアのメモを取るのね
よし
じゃあ 始めてみるか
2時間で
30個の
アイデアを
出して
えっ!
いきなり
そんなに?
無理ですっ!!
無理じゃない
やればできる!

今までみんな
やってきたんだから
きっ
うーん

2時間後……
プル
プル
No. 27
アイデア名 和紙を使った酒発酵エキスのフェイスマスク
氏名 花垣碧
説明：
昔から杜氏の手はきれいと言われています。日本酒を作る過程でできる発酵エキスを天然の和紙にしみこませ、フェイスマスクにして販売。お肌がしっとり、すべすべになる。
内容（図示）
老舗の酒蔵
和紙
フェイスマスク
酒発酵エキス
類似アイデア
新規性 ニーズ シーズ 独自性 実現性 収益性 合計
氏名 花垣碧
説明：
この町にはたくさんの特産品があります。日本酒としょうゆをベースに、それらの様々な特産品と組み合わせて、和・洋・中いずれにも合う、ドレッシングを！
氏名 花垣碧
説明：
近年人気の調味料のなかでも人気を集めているのが、やわらかいゼリー状のジュレ
地元産しょうゆ
日本酒
地元産ゆず
寒天？ゼリー？
ジュレ
類似アイデア ジャム、ドレッシング
ソフトクリーム
できました！30個
やった!!
やればできるだろ
これで少し自信が出てきたな
ピッ
じゃあ ここで今出したアイデアの評価をしよう

アイデア出しとその評価は別々にすることが重要なんだ
アイデア
まずは出すことに専念
評価は後から
出しながら評価しようとすると出なくなる
えっ!?
おかし
だからまず出すことに専念して評価は後からだ
へー
そうなんですか
評価する時にはこのアイデアシートの下にある7つの評価項目を使うんだ
「新規性」「ニーズ」なんて書いてあるだろう
それにひとつずつ3点満点で点数をつけていく
No
アイデア名
内容(図示)
新規性
ニーズ
シーズ
独自性
実現性
収益性
規模感

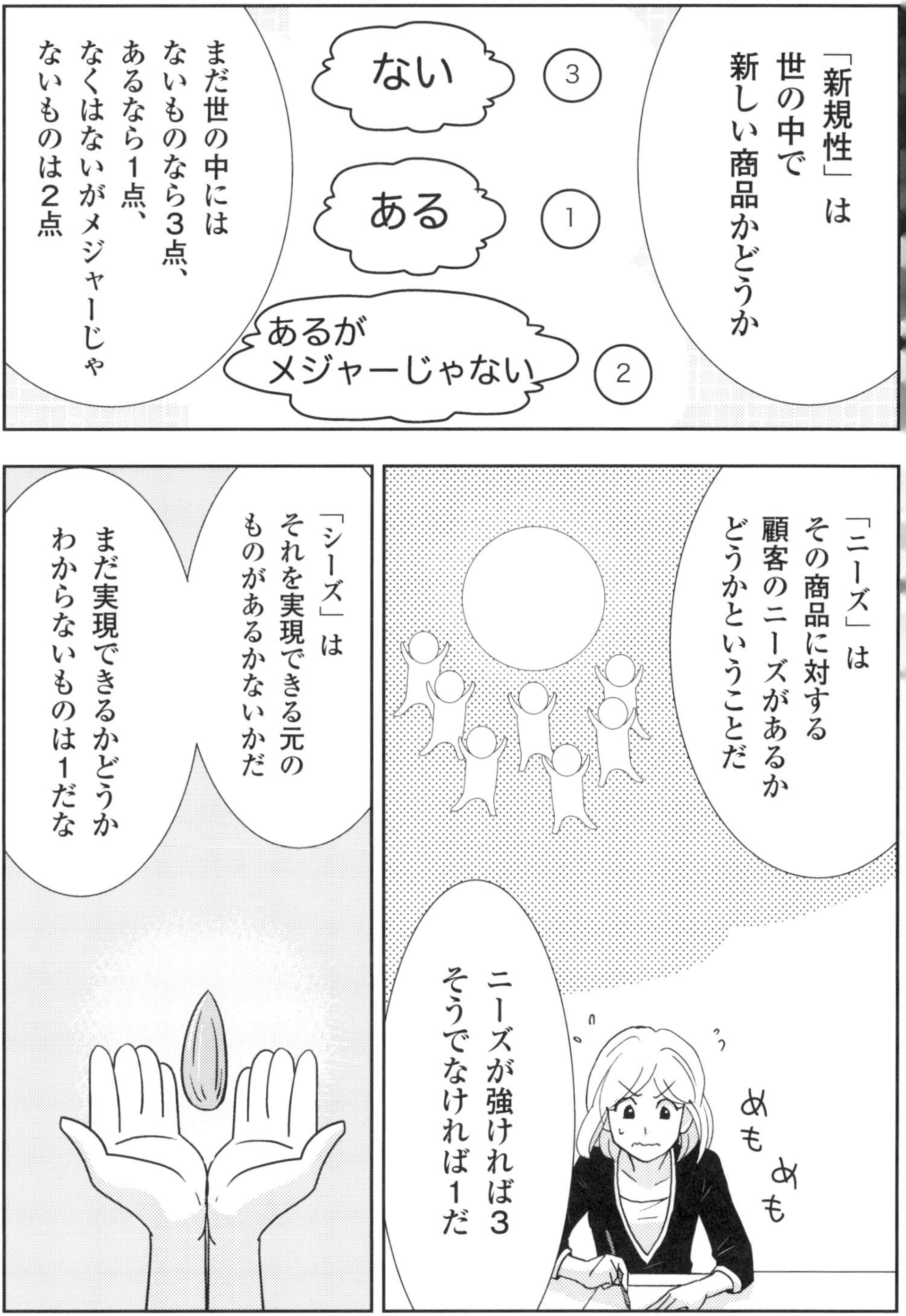
「新規性」は
世の中で
新しい商品かどうか
3
ない
1
ある
2
あるが
メジャーじゃない
まだ世の中には
ないものなら3点、
あるなら1点、
なくはないがメジャーじゃ
ないものは2点
「ニーズ」は
その商品に対する
顧客のニーズがあるか
どうかということだ
ニーズが強ければ3
そうでなければ1だ
めも
めも
「シーズ」は
それを実現できる元の
ものがあるかないかだ
まだ実現できるかどうか
わからないものは1だな

「独自性」は
自分達が作って
独自性が
あるかないかだ
よそも同じような
ものが作れるなら1
自分達にしか
作れないなら
3となる
「実現可能性」は
その商品が実現できるか
作れるかということ
商品
「規模感」は
市場の大きさ
大勢の人が買う
ものなら市場大
少なければ市場小となる
ガリガリ
最後の「収益」は
それを作って売って
儲けられるかどうかということ
少ないコストで高い
値段で売れるなら
儲かるし
せっかくコストを
かけても安い値段
でしか売れないなら
儲からないという
ことになる
できました!
30個つけました
よし
じゃあ集計してみよう

いま つけた点数を 足して 合計を書いて
点数化は厳密なもの じゃないからな まずはざっと評価して 良さそうなものを選ぶんだ
こうして点数を つけていくと 化粧品や
要素の 組み合わせなんかが 高得点だな
和紙を使った 酒発酵エキスの フェイスマスクは
フムフム
コストや 使用感についてつめたほうがいい
じゃあ 上位3つは
酒発酵エキス化粧水 クリーム フェイスマスクの3つだな
わーっ
ん？
ちょっと自分の アイデアに ひいきしてないか？
そうですか？
だって これはいいアイデア なんだから！

01 最初は1行から始まる

▼アイデア創出に必要な3つの要素とは

新規事業を始めるには、まずその商品アイデアや事業アイデアが必要です。

例えば、私達の身の回りにあるメガネやシャープペンシル、パソコン……。これらは、すべて過去の人が出したアイデアが製品化されて広まったものです。そうしたものは、最初は、「レンズで視力を調整する器具」「最初から削られた芯が出てくるペン」「個人が自分用に使えるコンピュータ」等、たった一行のアイデアから始まっているのです。

「何かいいアイデアを！」と言われると構えてしまいますが、実はあなたにもアイデアを出す潜在力があります。誰だって持っているのです。ただ、その力をちょっと工夫して使えばいいのです。

アイデアを出すには、①発想法、②熱意、③経験の3つの要素が必要です。これから①の発想法を紹介しますが、②の熱意は若い人ほど多くあり、③経験は年配の方ほど多くあります。ですから、年配の方でも、①の発想法と、②熱意が持てれば、アイデアが出せるのです。

図1−01 アイデア出しに必要な3要素

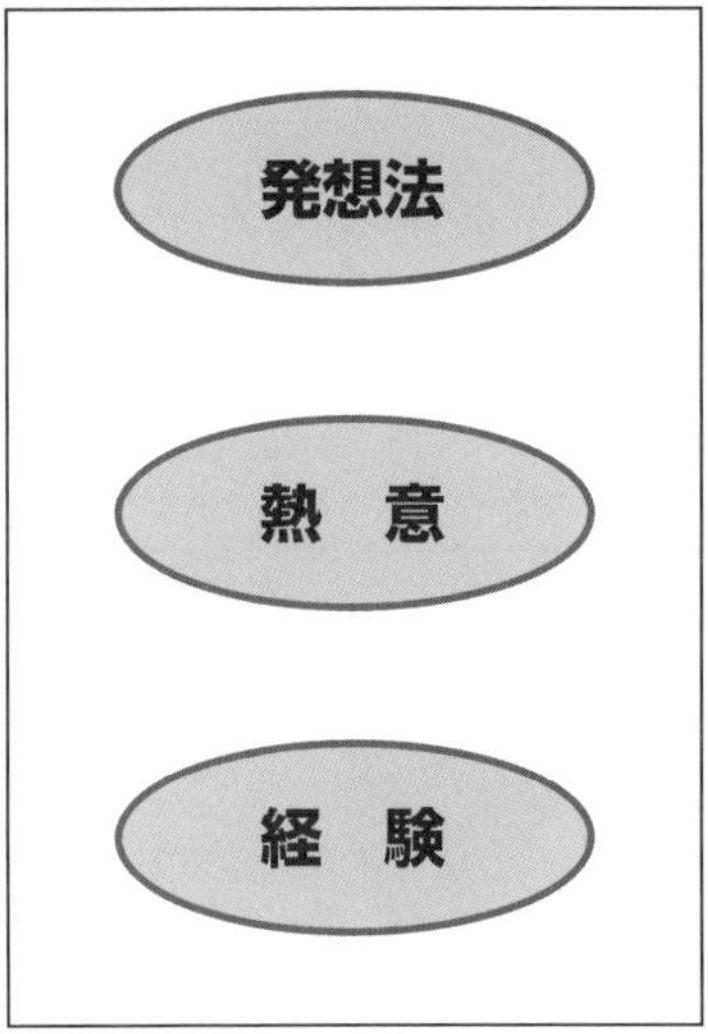

▼今あるものの欠点から発想してみよう

発想法にはいろいろありますが、一番簡単な方法は、「欠点列挙法」と呼ばれるもので、現在、すでにある製品やサービスの気に入らないところを挙げていき、後でその解決法を考えるやり方です。

例えば、「掃除機」を例にとると、「いちいち手に持って掃除するのが面倒だ」「音がうるさい」「ゴミ捨てが面倒」等と欠点を挙げます。

何やら怠け者のセリフのようですが、アイデアの出発点は、こうした利用者がマイナスに感じることにあるのです。欠点は、いくつ挙げても構いません。そして、ひと通り出した後、それらを解決する方法はないかと考えるのです。

例えば、「いちいち手に持って掃除するのが面倒だ」を解決する方法として、「ロボット掃除機」が生まれました。

最初のものは米国で開発され、日本でもヒットしましたね。現在は日本のメーカーでも出しています。

現在あるものを「当たり前」「こういうものだ」と思い込んでいると、アイデアは出ません。もっと便利にならないか、こういう点が良くならないかと現在あるものの改良点、改善点を考えると、いろいろとアイデアが出てきます。

▼脳にある程度の条件を与える

物語では、テーマ設定を具体的に行って、それに沿って発想をするという方法を使っています。人間の脳は、目的がはっきりしていた方が働きますから、「これこれを考えろ」と具体的な指示を出した方が効果的です。何でもいいというのはかえってだめなのです。また、物語で小篠が碧に課したように「2時間で30個」のように、目標を定めて行うのも効果があります。リラックスしたなかにも適度な緊張感があった方がいいわけです。

アイデアは一人で出す方法とグループや集団で

出す方法があります。

どちらが多くアイデアが出るかというと、集団で出す方法です。お互いに刺激があるからです。人間はアイデアを出す時に脳を使いますが、脳の神経細胞は、相互に繋がっていて、連想でいろいろと思い浮かべるようになっています。この仕組みを個人で活かすのが「マインドマップ」です。

これに対して、その連想を複数の人でグループを構成して行うのが集団発想法です。集団発想法については、オズボーンがブレーンストーミング法を提唱しました。通称「ブレスト」と呼ばれています。

まず5～6人のグループになって、だれかが全体のリード役を務め、30分～1時間を1セッションとして、テーマ決めをした上で、お互いにアイデアを出し合います。アイデアは、この後紹介するアイデアシートに記入していきますが、書いたら他のメンバーに紹介してコメントをもらう、という進め方をします。

ブレーンストーミング法には「批判厳禁」「質より量」等のルールがあり、そのルールに従ってアイデア出しを行っていきます。

例えば、批判厳禁というのは、人は自分のアイデアを批判されると、自己防衛的な心理が働き、アイデアが出てこなくなってしまうので、他人のアイデアを批判してはいけないということです。

また、質より量というのは、じっくり練ってひとつだけいいアイデアを出そうとするよりも、たくさん出しているうちにいいアイデアが出やすいということなのです。

集団で行うと、メンバーの間での競争心等の刺激があって、さきほど言った「よし、自分も出そう」という「熱意」が働くのです。また、他の人の「経験」も体験談として取り込むことができます。

アイデアは必ずメモに残す

アイデアは、その時に「いい内容を思いついた」と思っても、後で忘れてしまうことがありますから、必ずメモを取ります。

メモを取る際に、文字だけだとイメージが湧きにくいので、下図のように、アイデア記入シートに記入します。碧も、このシートを使ってアイデアを出していきました。上にアイデア番号、アイデア名、アイデアを出した人の名前、真ん中にアイデアの絵とその右にアイデアの説明、下の欄は、後で使うのでそのままにしておきます。

図1－02 アイデアシートの記入例

No.	アイデア名	氏名
27	和紙を使った酒発酵エキスのフェイスマスク	花垣碧

内容（図示）

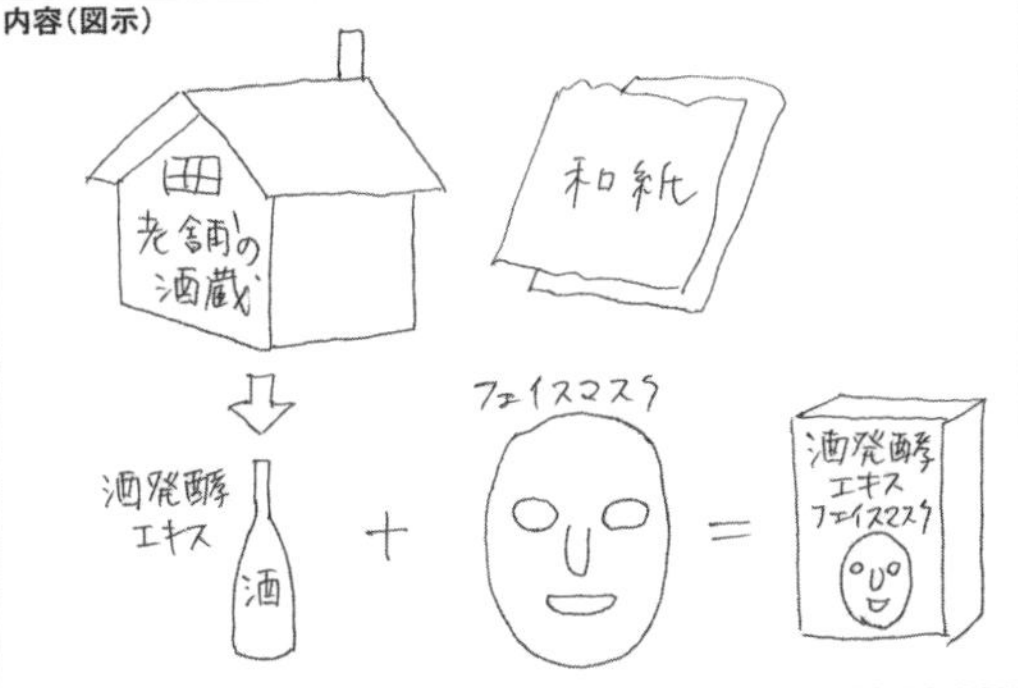

説明：
昔から杜氏の手はきれいと言われています。
日本酒を作る過程でできる発酵エキスを天然の和紙にしみこませ、フェイスマスクにして販売。
お肌がしっとり、すべすべになる。

新規性	ニーズ	シーズ	独自性	実現性	収益性	合計

類似アイデア

02 無理やりアイデアを広げる方法

発想の視点とは

アイデアをたくさん出すために、発想の軸を自分達に与える方法があります。物語では、小篠が碧に対して、「酒を造る際の副産物」とか「他のものと組み合わせてできるもの」等の発想の軸を与えています。こうしたものを発想の視点と言います。代表的なものに左記のものがあります。

（1）拡張（エクステンション）

ヒットしたものをさらに押し広げていったもの。例えば、AKB48がヒットしたら、大阪でNMB48、名古屋でSKE48、インドネシアの首都ジャカルタでJKT48を立ち上げた例がこれに当たります。

（2）掛け合わせ（マトリックス）

複数の要素を掛け合わせたもので、空気清浄機と加湿器を組み合わせて加湿空気清浄器とか、洗濯機と乾燥機を組み合わせて洗濯乾燥機等いろいろなものがあります。

（3）強制連関

これは、（2）の応用ですが、一見全く無関係なものを組み合わせてみる手法です。例えばお寿司にカリフォルニアロールというのがありますが、これは巻き寿司にアボカドを組み合わせたもので、食べてみるとなかなかおいしいものです。

（4）コンセプト展開法

これはヒットしたものがあったら、それをいろいろにくっつけて展開する方法です。例えばコーラ飲料でゼロカロリーがヒットしたら、その他のソーダ飲料にも展開する等、いろいろな商品に展開していく方法です。

定番のフレームワークを押さえてアイデアをブラッシュアップ！

（5）マイナーチェンジ

これはすでにあるものに対して少しだけ変えて出す方法です。例えば、電子書籍用のブックリーダーは似た商品がすでに多数出ています。

その他、発想法用のチェックリストを用意しておいて、それに沿って無理やり出していく方法もあります。例えば、「SCAMPER」は、ブレーンストーミング法を開発したオズボーンによって生み出され、その後創造性開発の研究家ボブ・イバールが7つのチェックリストとしてまとめたものです。

Substitute（換える・代替する）は、何かに置き換えてみるということです。例えば、パソコンのマウスのコードを無線機器に代えて、コードレスマウスができました。

Combine（結びつける）は、掛け合わせと同じです。

Adapt（適応させる）は、他で使われている

図1－03 発想法の例（SCAMPER）

SCAMPER	どう考えるか
S	Substitute （換える／代替する）
C	Combine （結びつける）
A	Adapt （適応させる）
M	Modify （修正する）
P	Put to other purposes （他の目的に使用する）
E	Eliminate （除く）
R	Rearrange/Reverse （並べ替える/逆にする）

ものを使えないかという発想です。例えば、カーナビで使われていたGPSをスマートフォンでも使えるようにして、ルート案内ができるようになりました。

Modify（修正する）は、何かを変えてみるということです。例えば、携帯の呼び出し音を音楽に変えてみるということで、着メロになりました。

Put to Other Purpose（他の目的に使用する）は、もとはUSB記憶媒体だったものを、中に音楽を保存した上、イヤフォンをつけて持ち歩けるようにした携帯音楽プレーヤーの例があります。

Eliminate（除く）は、現在あるものを取り除くということで、例えば、扇風機から羽を取り除いて羽なし扇風機を作るという発想です。

Rearrange/Reverse（並べ替える／逆にする）というのは、順序を変えたりすることです。例えば、海苔が苦手な米国人向けに裏巻きにした前述のカリフォルニアロールがその好例です。

▼細かいことは考えずにアウトプットしていく

さて、それではここで、物語のなかで碧が出したアイデアを見てみましょう。

図1－04 碧が思いついたアイデア

種類	内容
1．化粧品	酒発酵エキス：化粧水、クリーム、フェイスマスク、乳液、石けん、シャンプー、香水
2．食品	美肌サプリメント（効能はまだ不明）、ジュレ（香りがいい）、日本酒カレー
3．調味料	ドレッシング（混ぜて）、高級調理酒、高級酢（お酒からできる）
4．飲み物	発砲日本酒（他社が出している）、飲む酢（ホンチョのような）、日本酒カクテル、日本酒ハイボール（他社が出している）
5．副産物	酒粕せんべい、酒粕ソフトクリーム、酒粕カレー、酒粕ドレッシング、酒粕パック（酒粕に水分を含ませて、泥のようにしてパックする）、酒粕シフォンケーキ、酒粕ロールケーキ
6．組み合わせ	酒粕パン（パン生地と混ぜて焼く）、里芋日本酒トルテ（里芋のもっちり感と日本酒のフレーバーで）、和紙を使った酒発酵のフェイスマスク、日本酒蒸し柿菓子、日本酒蒸し栗菓子、酒粕と栗のミックスきんとん

以上30個です。

碧も無い知恵を絞って、いろいろ出しましたね。もちろん、このなかにはすでに実在するものもあります。

しかし、アイデアを出す際は、あまりそうしたことは気にしないで、自分の頭を活性化させる意味で、思いっきり連想を働かせて出します。

人間の脳は神経細胞（ニューロン）が網の目のように張り巡らされていて、どんどんつながっていくようにできていますから、「連想」が効果的なのです。

これは一時に実施した例ですが、日時を変えて、気分転換をして再度実施してもOKです。

▼アイデア出しと評価は同時に行わない

ひと通り出せたら、次はアイデアの評価に移りますが、ここで大切なのは、アイデア出しとアイデアの評価を同時には行わないことです。人間の脳は、同時に複数のことをやるのには向いていませんから、アイデアを出すなら出すことに集中します。出しながら同時に評価も行っていると、だんだんアイデアが出ないようになってきます。なぜなら、頭の中でチェック機構が働いて、徐々に抑制傾向が強くなるからです。

アイデアは気持ちや気分を解放した方が出やすいわけですから、抑制が働くと逆効果になります。

また、集団発想法を行う場合も、たびたび人のアイデアにいちゃもんをつけるような人は最初から入れない方がいいものです。

もしもアイデア出しの途中で、「それはちょっと？」というネガティブな発言をする人がいたら、そういう発言はしないように控えてもらいます。まずは、みんなが明るくわいわい好き勝手に言えるような雰囲気を作ることが大切です。いい悪いは、その後で評価すればいいわけですから。

03 アイデアを評価していく眼とは？

▼評価のための７つの視点

アイデアシートが書けたら、次は、１枚ずつ評価していきます。アイデアを出した時とは別の自分になって、客観的に評価していきます。評価は、以下の７つの視点で３～１の３段階評価を行います。

（１）新規性

新しいアイデアかどうかで評価します。まだ世の中になくて、まったく新しいというものであれば３、似たようなものがあれば１とつけます。

（２）ニーズ

顧客のニーズが強いかどうかです。「あったら絶対買う」と言うお客様がいるのであれば３ですし、お客様が「あったらいいかな」程度に思うくらいであれば１です。

（３）シーズ

シーズとは、種のことで、要は、そのアイデアを実現できる元ネタがあるのかどうかです。元ネタがすでにあるものなら３ですし、まだない、新たに開発しなければならないなら１です。

（４）独自性

独自性とはオリジナリティのことで、他にないものであれば３ですし、近いものがあるのであれば１となります。独自性が低いとマネされやすくなります。

（５）実現可能性

実現可能性とは、それが現実に商品・サービスとして実現できるかどうかということで、今あるものを組み合わせるなどして実現できれば３、なかなか元になるものがなくて、探したり開発したりするのに時間とコストがかかるものであれば1となります。

(6) 規模感

規模感とは、どれくらいの売上高になる事業かということです。規模感は、個人で行う場合と企業で行う場合で異なってきます。個人で事業を行う前提であれば、個人の基準で大、中、小を決めて、3、2、1とつけていきます。企業の場合は、同じく、企業として大、中、小の規模を決め、それに当てはめていきます。

(7) 収益の可能性

収益の可能性とは、儲かるかどうかです。売価に対して、原価が高いと儲けが少なくなりますし、原価に対して売価が高く設定できるのであれば、儲けることができます。

7項目もあると評価だけで大変そうだと思われるかもしれませんが、この段階ではデータを調べたりせず、直感的に点数をつけていきます。

まずは思い入れで選んでもOK

こうして、抽出したアイデアすべてについて簡易評価を行った上で、合計点をつけます。合計点をつけたなかで、上位に来るもののなかからあなたが事業計画書にまとめてみたいと思うものを選びます。

碧の場合も、自分ではわからないながらも、小篠に促されて、直感的に点数をつけていきました。そして、その結果、「和紙を使った酒発酵エキスのフェイスマスク」となりました。

しかし、これは、必ずしも最高点のものを選んだということではありません。むしろ、碧の思い入れのあるものを選んだといってもいいでしょう。でも、それでいいのです。自分で思い入れがあるのであれば、まずそれについて事業計画書を書いてみましょう。ひょっとすると、そんなに大きくできない、儲からない事業になってしまうかもしれません。そうしたら、それで、諦めればいいわけですし、どうしても諦められなければ、何とか成り立つように頑張るというやり方もあります。

要は「想い」と「可能性」の合流点が大切なのです。「想い」がなくて、形式基準で数値の大きいものを選んだだけだと、事業計画書にも力が入らないでしょう。それに、もし、別に思い入れのあるアイデアがあれば、いつまでもそれが心残りになっていて、本人も決心がつかないでしょう。ですから、強い思い入れのあるアイデアがあったら、まずそれを事業計画書に落としてみることです。そしてどうしても諦めざるをえなくなったら、先のアイデア出しと評価を行ったなかから代案を選べばいいわけです。この時に、初めてたくさんアイデア出しをしておいた御利益が出てきます。「ああ、あの時、いろいろと出しておいてよかった」と。そんな保険の意味でもアイデアはたくさん出しておくといいのです。

図1－05 新商品・新事業の簡易評価の例（55頁 図1－02参照）

視点	ポイント	碧のアイデア	
1．新規性	新しい商品・サービスか	3	酒発酵エキス＋和紙の組み合わせが新しい
2．ニーズ	ニーズが強い、たくさんある	2	肌に悩む女性は多い
3．シーズ	シーズ（種）がある、入手可能である	3	実家の酒蔵、地元の和紙等入手可能
4．独自性	独自性がある、オリジナリティがある	3	和紙を使ったところがオリジナル
5．実現可能性	実現可能である	3	すぐに造れる
6．規模感	売上が大きくできる	2	当たれば大きくなる可能性あり
7．収益の可能性	儲かりそう	2	価格設定次第
合　計		18	

STEP 2

やる理由と目指す方向を明らかにする

STORY 2 想いを形に

さあ
今回はこの事業への
「想い」からだ
君はどうして
この事業を
やりたいんだ?

それと
大袈裟かもしれませんが
この町を活性化したいんです
若い人が都会に出て行って
高齢化して寂れていくこの町を

造り酒屋の再興と地元活性
酒由来の化粧品を作って
両方解決できないか？
STORY 2
想いを形に
我ながらいいアイデアじゃない♪
光明見えたり
言ってることがわからねーな
酒は酒
これまで通りじゃなんでダメなんだよ？
光明見えたり
これまでは都会に出てこっちには寄りつきもしなかったのに今さら何だい？
まあまあ

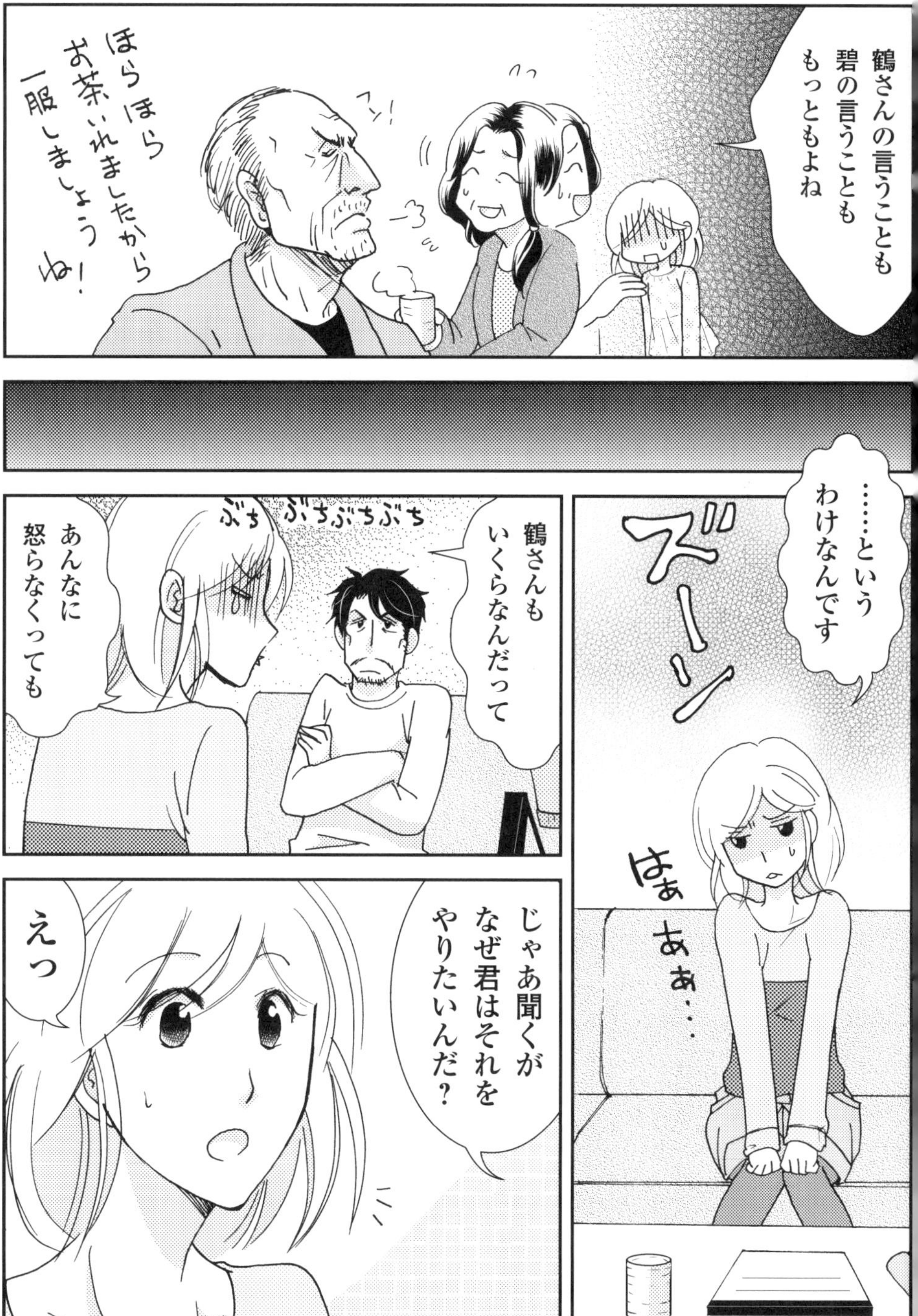
鶴さんの言うことも
碧の言うことも
もっともよね
ほらほら
お茶いれましたから
一服しましょうね!
……という
わけなんです
ズーン
はぁぁぁ…
鶴さんも
いくらなんだって
あんなに
怒らなくっても
ぶち
ぶちぶちぶち
じゃあ聞くが
なぜ君はそれを
やりたいんだ?
えっ

鶴吉さんが言うように
〝お嬢さん〟はひっこんで
日本酒を地道に造り続ける
道だってあるんじゃないか？
それは…
さあ
今回はこの事業への
「想い」からだ
君はどうして
この事業を
やりたいんだ？
それはこれまで
もう何回も話した
じゃないですか！
いや
ちゃんとした
言葉にするんだ
誰にでも伝わる
キーワードに
落とすんだよ
キーワード…
父が急に亡くなって

このままじゃ江戸時代から続く実家の酒蔵が私の代で無くなってしまう
それだけはしたくないんです
だって　床の間に祖父や曽祖父の写真が並んでいて
代々お酒を造ってきて
町のお祭りにもお神酒としてうちのお酒を献上していて
そんな酒蔵を途絶えさせちゃいけないって！
じゃあ
まずは「歴史を受け継ぐ」ってことだな

それだったら
酒蔵を継げばいい
だけじゃないか
どうして
新規事業をやる
必要があるんだ？
だって
造り酒屋だけじゃ
生き残っていけません
そんなことはない
立派な
日本酒ブランド
として
生き残っている
酒蔵はいっぱいある
…酒造り一筋で
やってきた父でさえ
ここまでだったのだから
酒造りだけで全国に
恵那酒造ブランドを
広めるのは
難しいんですよ
だったら
女性らしい視点で
日本酒を活かして
新商品や新規事業を
始められないかと

「女性の視点で
日本酒に新しい息吹を」
って感じかな
それで
何で化粧品なんだ？
お酒って
お肌にいいでしょ？
昔から
「杜氏の手はきれい」
って言いますよね？
日本酒には
お肌に優しい
成分が含まれています
私も子供の頃
よく手がつるつるだって
言われました
東京に出て
お肌がカサカサしてきて
「やっぱりお酒の
おかげだったんだ」
ってわかったんです
それとプラス
最近は
「いつまでも若々しく」
って欲求が
強くなっています
自然素材で
日本酒由来の
化粧品でケア
できるなら
安心して
使えるはずです

日本酒由来のアンチエイジングに役立つ自然派化粧品
ってわけか
はい！
それでどんな女性に使ってもらいたいんだ？
そうですね……
都会の肌トラブルの多い人…
肌あれ～
でもまず地元の女性に使ってもらいたい！
寒いねぇ
つめたい～
寒い中の作業で荒れたお肌が
つるつる美肌に！
「つるつる美肌で女性を元気に」か
そう
それと大袈裟かもしれませんがこの町を活性化したいんです
若い人が都会に出て行って高齢化して寂れていくこの町を

私が子供の頃は
お祭りの時とか
もっと活気が
ありました
もし伝統の酒蔵が
化粧品を作って売れたら
町に来る人も増えて
みんな自分のところも
何か新しいことをやって
みようかって気持ちに
なるんじゃないかしら
なるほど…
えっ
何ですか
それ？
提案の背景の
タイプだよ
きみのはどうやら
問題意識型と
理念・使命型と
実現手段型の
3つの要素が
入り混じっているタイプだな
問題意識型
理念・使命型
実現手段型
提案の背景には
①問題意識型
②理念・使命型
③実現手段型
④望ましい将来像提示型
の4つがあって
それぞれ出発点が違うんだ
ほー

つまり こういうことだ
①問題意識型　現在ある化粧品にはいろいろと問題があるということを出発点にする
②理念・使命型　「老舗の酒蔵を残したい」や「寂れていく町を活性化したい」という想い
③実現手段型　日本酒のお肌にいいという特徴を世の中に広めるという具体的な手段を訴求する考え方
④望ましい将来像提示型　「将来はこんな世の中を実現したい」という将来像を訴える
ふむ ふむ
メモ メモ
……なんだか難しいですね
う〜ん
いや 難しく考えることはない
いま 君が考えていること 思っていることを 解釈しただけだ

さて
次は事業コンセプトだ
事業コンセプト？
君の事業をひと言で言うと
どういう事業かってことを
表す言葉だ
例えば
「明日届く文房具」
って言うと何だ？
明日届く
文房具
うーん？
あっ
わかりました！
「アスクル」ですね
そう
じゃあこれは？
「早い、安い、うまい」
早い、安い、うまい
吉野家
その通り
コンセプト！
そんなふうに
君の事業にもコンセプトを
与えるんだ

急に言われても……
うーん…
コピーライターじゃないからいきなりすごいものは期待していないさ
事業コンセプトには5つの要素がある
それぞれについて考えていって最後にまとめればいいのさ
メモ
メモ
まず最初は
対象顧客は誰なのかってことだ
顧客ですか…
うーん
「女性」と言えば女性なんだけど
もう少し具体的に言うと？
「ストレスの多い現代社会の女性」ってところでしょうか
じゃあ次は商品・サービスの特徴は何かということだ

「日本酒の成分をお肌に役立てる」でどうですか？
もうちょっとインパクトが欲しいな
例えば「酒発酵エキスを美肌に役立てる」ってのはどうだ？
採用！
いいですねっ！
びしっ
生意気だな……
次は独自能力は何かだ
うちにはない！
他所
他所にはない独自の強みということだ
うちにはある！
強み
強み…
実家が「歴史のある造り酒屋」だということと
パックには「地元特産の和紙」も使いたいと思ってます……
造り酒屋
地元特産の和紙
ってこういうのでいいんですか？
そうだな

じゃあ次は
ビジネスモデルの
仕組みだ
ビジネスモデルって
聞いたことあります
けど…
なんでしょうか？
ビジネスモデル
っていうのは
簡単に言うと「儲けの仕組み」
ってことだ
モノを売る商売の場合
お客様のニーズを満たしている
モノでなきゃいけないし
適正な価格で買って
もらわなきゃいけない
お客様
ニーズを満たす
適正価格
（コスト以上の値段）
商品
人手・機械を使って生産
仕入先から容器を仕入れる
お酒の原材料
コスト
生産者
そして
それを作る君んちは
お酒の原材料や
容器を仕入先から仕入れて
人手や機械を使って
生産する
商品を作るには何かしら
コストがかかるから
そのコスト以上の値段で
売らないと儲けられない
別に　あまり儲けなくても
いいと思っているんですが…

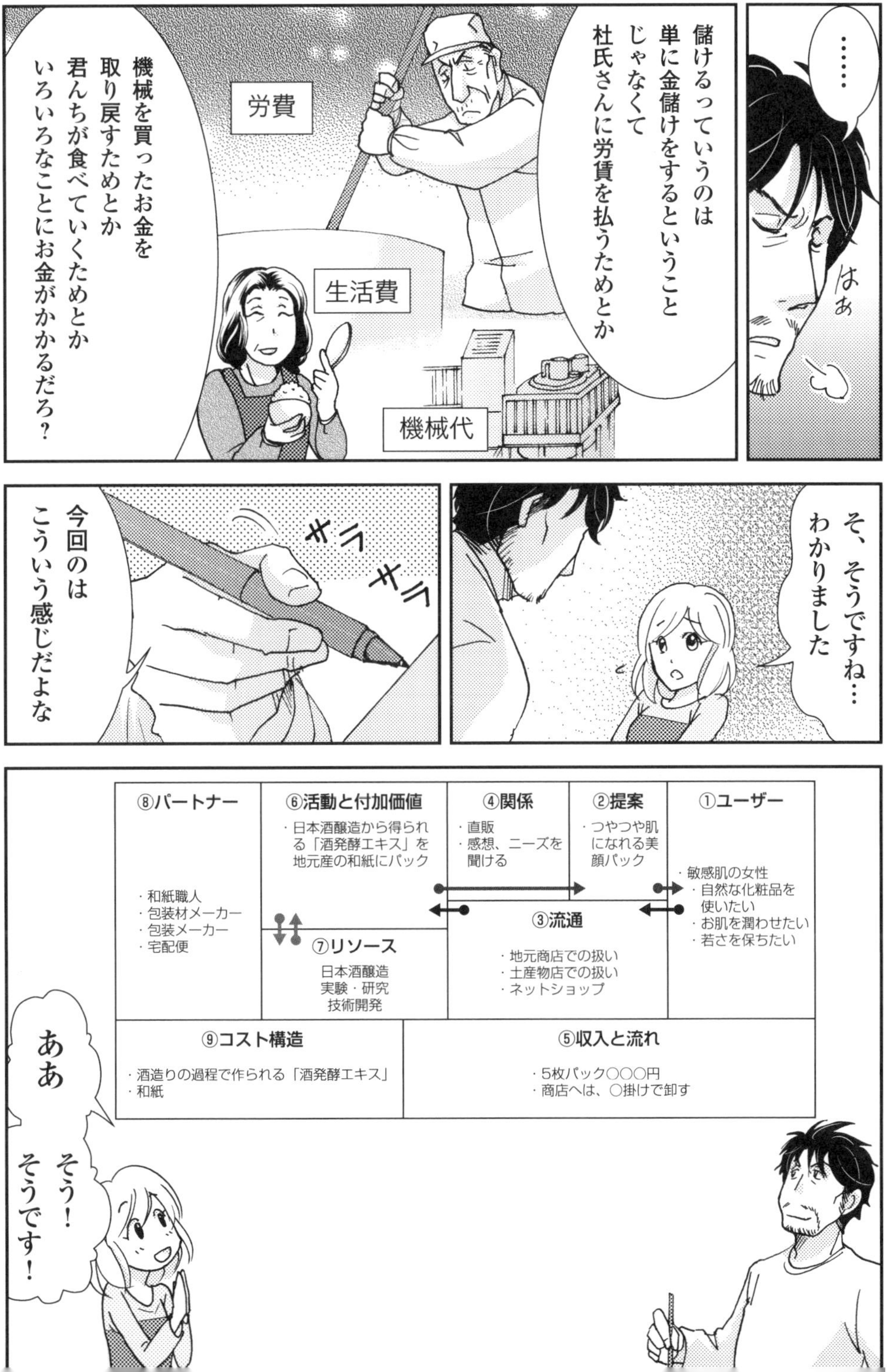
……
はぁ
儲けるっていうのは単に金儲けをするということじゃなくて杜氏さんに労賃を払うためとか
労費
生活費
機械代
機械を買ったお金を取り戻すためとか君んちが食べていくためとかいろいろなことにお金がかかるだろ？
そ、そうですね…わかりました
サラ
サラ
今回のはこういう感じだよな
⑧パートナー
・和紙職人
・包装材メーカー
・包装メーカー
・宅配便
⑥活動と付加価値
・日本酒醸造から得られる「酒発酵エキス」を地元産の和紙にパック
⑦リソース
日本酒醸造
実験・研究
技術開発
④関係
・直販
・感想、ニーズを聞ける
②提案
・つやつや肌になれる美顔パック
③流通
・地元商店での扱い
・土産物店での扱い
・ネットショップ
①ユーザー
・敏感肌の女性
・自然な化粧品を使いたい
・お肌を潤わせたい
・若さを保ちたい
⑨コスト構造
・酒造りの過程で作られる「酒発酵エキス」
・和紙
⑤収入と流れ
・5枚パック○○○円
・商店へは、○掛けで卸す
ああ
そう！そうです！

じゃあ最後は顧客への提供価値は何か？ だ
君の商品を買って使ってお客様にはどんな価値がある？
う〜ん…
そうですねぇ…
「ストレスの多い現代社会の女性のお肌を元気にする」はどうですか？
さて それで 今まで出した事業コンセプトの要素を並べてみてこの5つをひと言で言い表すとどうなる？
えっと
「酒発酵エキスでつやつや美肌」？
和紙はどうした？
どーーん
酒発酵エキスたっぷり和紙マスクでつやつや美肌
う〜ん
では「酒発酵エキスたっぷり和紙マスクでつやつや美肌」はどうですか？
まあ ちょっと長いが意味はわかるからそれでいい もっといいのが出てきたらそれで置き換えればいい

背景と事業コンセプトの暫定案ができたから
次は事業理念と事業ビジョンだ
理念って
よく社長室なんかに飾られているやつですか？必要なんでしょうか？
ああ必要だ
事業理念
事業理念っていうのは
なぜこの事業を行うのかという事業の根本を示すものだ
事業の根本
事業の存在価値
理念のない事業は単に金儲けに過ぎない
事業を起こそうと思ったらどうお客様の役に立つか世の中の役に立つかを考えてスタートすべきだ
でないと金さえ儲けられればいいとなって
悪いことと曲がったこともやりかねない

さっきの事業コンセプトではダメなんですか?
事業理念は顧客や社会の役に立つという視点をはっきり打ち出した方がいい
じゃあ「女性の美容に貢献する」はどうでしょう?
女性だけか?美容だけか?
それなら「人々の美容と健康に奉仕する」は?
いいだろうそれぐらい広く捉えた方がいい
じゃあ
次は事業ビジョンだ
事業理念と事業ビジョンはどう違うんですか?

理念は価値観を表し
ビジョンは将来像を
表している
理念
価値観
将来像
ビジョン
つまり　事業理念に基づいて
どんな未来を実現したいか
ということが事業ビジョンだ
君はこの事業を通じて
どんなことを実現したいんだい？
「お客様の美容と健康」と
「地元の活性化」
の２つで…
どんなことを
通じて？
「伝統的な自然素材の
良さを活かして」
です…ね
それらを合わせると
どうなる？
「伝統的な素材の良さを活かし
美容と健康に奉仕する
地元発活性化リーダーを目指す」
でしょうか？
結構 大ごとに
なっちゃった…
どうしよう
でも　やるしかない
本当にできるの？
どうしよう…

01 提案の背景を固める

▼提案の型は4種類

65頁で、小篠が碧に「君はどうしてこの事業をやりたいんだ?」と詰め寄っていました。そして、碧の想いがだんだんと言葉になっていきました。

「提案の背景」とは、なぜこの事業を提案するのかという「想い」を表現する部分です。事業をやりたいという意志があるのは、背景に何らかの想いがあるからですよね。

小篠が碧の想いを解釈してくれていましたが、「提案の背景」の内容は大きく分けて4つあります。それぞれあなたが提案しようとすることの主旨に合わせて書き綴るといいでしょう。

ただし、あまり分析的に解釈する必要はありません。これら4つのカテゴリーは、あくまでも通常謳われる「提案の背景」を分類してみるとこうなるというだけですから。それでも、いくつかのパターンがありうることを知っておくのは参考になるでしょう。

(1) 問題意識型

ひとつめは、提案者の問題意識を述べる形です。これは、現状についての問題点を指摘し、それを何とかしたいというものです。例えば、現状の化粧品ビジネスについて、「現在ある化粧品は、化学物質がいろいろと入っていて、実はお肌にはあまり良くない。もっと自然由来のものを使って、肌ケアに役立ててもらいたい」というような事例は、問題意識型です。

(2) 理念・使命型

こういうことで世の中や顧客の役に立ちたいといった想いを述べるパターンです。物語では、「歴史のある酒蔵を残したい」「寂れゆく町を活性化したい」等がこれに当たります。

(3) 実現手段型

「こんないいことを思いついた、それを使えばこんなことができる」だったり、「これでこんなに便利になる、だからこれを世の中に広めていきたい」というように、おもに実現手段を訴求するやり方です。テレビ通販や、インターネットを通じたビジネス、宅配ビジネスなどは、こうした実現手段的な要素が強いですね。

(4) 望ましい将来像提示型

こんな未来を実現したい、このビジネスをやってお客様に喜んでもらいたいというものです。「風という自然エネルギーを使って、家庭用電力の大半を賄えるようにし、原発に依存しない社会にしたい」とか「道路の状況を自分で判断して、自動車が自動運転するようにしたい」などがその例です。

▼提案の背景はひとつとは限らない

以上4つの類型を紹介しましたが、提案の背景は、どれかひとつにだけしか当てはまらないということはありません。複数の要素が複合している提案もあるでしょう。

要は、あなたがなぜこの事業を提案するのかを、しっかり他人に語れるようにまとめておきましょう、ということです。

物語で小篠も指摘していましたが、単に話し言葉として語るだけでなく、キーワードとして書き言葉にも落としておくと、他の人に伝達しやすくなります。また、自分の決意を文字として書き表すことで、自分の決意を固める役割も果たします。

「提案の背景」の必要性は、もしそれがなかったらどうなるか、を考えてみるとわかりやすいでしょう。仮に碧がこの新規事業をやりたいということで、協力してほしい人に事業説明をすることにしたとします。資材を提供してくれる人、商品を委託で作ってくれる人、事業資金が足りなくて、資金援助をお願いする人達などが対象です。

そうすると、彼らは、まず何を思うかです。

おそらく、「碧ちゃんは、なんでまたこんなことを言い出したんだろう?」「いったい彼女は何をやろうとしているんだろう?」「お父さんが亡くなったんだから、酒蔵を継げばいいだけじゃないか」などと、説明を聞きながら、いろいろな疑問が湧き起こってきます。

そうした疑問が最初に湧き上がってくると、人は、後の話はなかなか真剣に聞いてくれません。そして、説明を聞き終わってから、Q&Aのセッションで、「ところで、あなたは、どうしてこの事業をやりたいのですか?」とそもそものところを聞かれてしまうのです。

ただお金が儲かりそうだというだけでは、人は協力してくれませんから、「提案の背景」はきっちり固めておく必要があるのです。

図2−01 提案の背景

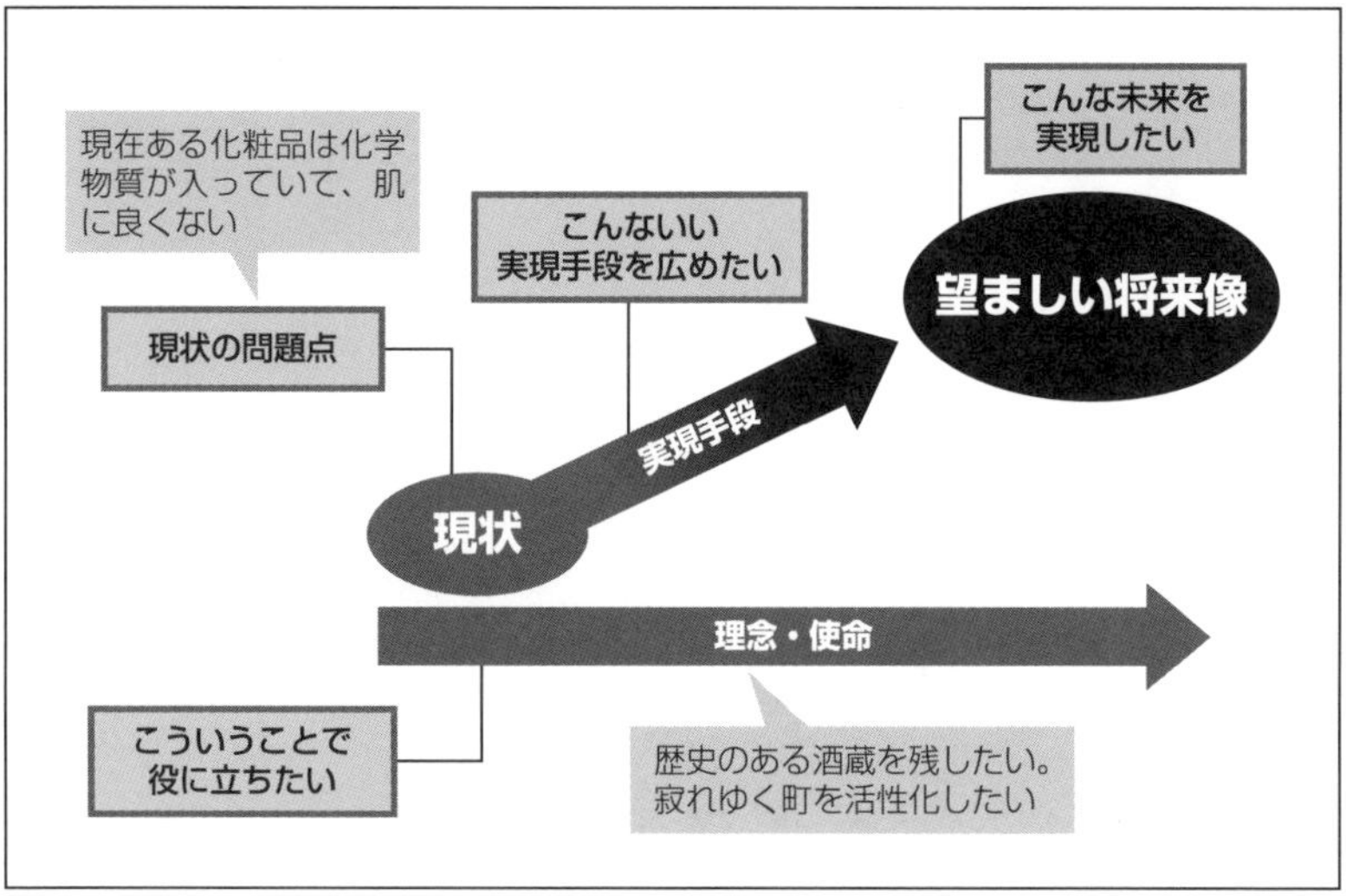

こんな未来を
実現したい
現在ある化粧品は化学物質が入っていて、肌に良くない
こんないい
実現手段を広めたい
望ましい将来像
現状の問題点
実現手段
現状
理念・使命
こういうことで
役に立ちたい
歴史のある酒蔵を残したい。
寂れゆく町を活性化したい

02 なぜ自分がそれをやるのか？

「誰が提案しても同じ」ではない！

提案の背景の次に来るのが、提案者のプロフィールです。事業計画書は、中身さえきちんとできていれば誰が提案してもいいだろう、と考える人がいるかもしれません。しかし、実際にはそうではありません。例えば、この物語では、主人公の碧がこの案を提案するから意味があります。杜氏の鶴吉さんでも、小篠でもしっくりきません。父を亡くした造り酒屋の長女、碧が提案するからしっくりくるわけです。ですから事業計画書には提案者の顔が見える必要があります。

　提案者のプロフィールの一番のポイントは、この事業を提案するのにふさわしい人物かどうかということです。例えば、化粧品のことを提案するのであれば、化粧品のことが詳しいとか、小さい子供を持った親向けのサービス業を提案するのであれば、子育ての経験があるとか、そういった適性です。物語では、長女の碧が提案するので、この点はクリアされています。

　次に大切なのが、提案者に成功した経験があるかどうかです。新しい事業を提案するのですから、何か過去にうまく行った経験がなければ、「この人、大丈夫かな？」と心配になります。例えば、こんな自己紹介はどうでしょうか？

「新入社員の頃、営業がやりたいと希望を出していたのですが、製造の方に配属になり、やむなく製造手配の仕事をやっていました。1年ほど経過したところで、社内で新規事業を立ち上げるので、

その担当者を募集するという知らせを聞いて、早速応募したところ、面接の上採用されました。喜び勇んで行ってみると、その新規事業部では顧客は一から開拓するとのことでした。社内では、その分野で新規開拓の経験がある人がいなかったので、自分で、提案書の書き方のような本を買ってきて読んで、見よう見まねで提案書を作り、上司とともに営業訪問しました。何件か営業訪問し断られたのち、ある先で初めての受注を獲れた時は、大変うれしく思い、上司と乾杯しました。今回、会社の本業が時代の流れでだんだん売り上げが落ちてくるなか、新規事業の企画を思いつきましたので、提案させていただきます」

どうでしょう？　こんな人なら、やってくれそうに思えませんか？　自己紹介でこうした成功体験が語れるといいですよね。

次に重要なのが、思い入れです。提案者がどれだけこの事業に思い入れがあるかが大切です。

例えば、法律で障がい者雇用率が引き上げられるのに伴って、長年障がい者雇用支援に携わってきた人が、子育て経験のある女性を起用して企業での障がい者雇用・定着が支援できるように教育・訓練を施す新たなサービスを始めるとします。これによって、雇用される障がい者の数を増やすとともに、いったん仕事を離れた女性が再就職する支援をしたい、というようなケースは、現実に困っている人たちに接している人だけに、その思い入れが伝わってきます。

そして、３点めがやる気です。いくらいいアイデアでもやる気が感じられなければ、その人が苦難を乗り越えて成功させられるようには思えません。途中でへこたれて、諦めてやめてしまうかもしれませんね。特に他人にお金を出してもらうような場合は、お金を返す（返済する）ことに責任感が必要ですから、やる気が感じられるかどうかはとても大切です。提案時に、明るく元気な声で、意気込みを持って事業計画の説明ができなくてはなりませんし、過去やる気を出して頑張ったエピソードを語るのも効果的です。

さて、①成功体験、②思い入れ、③やる気、これら3つの要素で、主人公の碧を見てみるとどうでしょう？　確かに、実家を立て直したいという思い入れや、小篠に食らいついていく辺りにやる気は見受けられますが、成功体験がややクエスチョンですね。この成功体験の部分は、何も直球でビジネスでの成功でなくとも構いません。例えば学生時代にクラブ活動をやっていて、キャプテンや部長を務め、チームを大会優勝に導いたとか、記録の目標を達成したなどでもいいのです。これまで見てきた経験から言うと、①リーダーシップを発揮した経験と、②目標達成した経験がポイントになります。仕事上のことでも、学生時代のことでも構いませんから、「そういえば」と思えるものをひも解いて書き表してみましょう。

図2-02 提案者プロフィールの例

●**プロフィール**

2004年3月	橘大学経営学部卒業
2004年4月	株式会社東京食品入社 千葉工場総務課労務担当
2007	調味料事業部マーケティング部 プロモーション担当
2011年	一身上の都合で退職

<信条>　自分に厳しく、人には思いやりを
<強み>　粘り強く頑張れること
<弱み>　意固地になりすぎる時がある
<家族>　母と妹
<趣味>　旅行、食べ歩き、ピアノ

03 事業コンセプトを固める

▼事業コンセプトのもとになる5つの要素

事業コンセプトとは、あなたの事業がどのような事業なのかを特徴も含めてひと言で言い表す言葉です。ポンとうまくひとつの言葉で表現できればいいのですが、コピーライターでもなければ、そんなに簡単にはうまいフレーズは作れませんから、そのフレーズの元になる要素を検討してみるところから始めるといいでしょう。

物語では、小篠が碧に、事業コンセプトのもとになる5つの要素は何かを問いかけていきました。

順番に見ていきましょう。

（1）対象顧客は誰か

事業は常に特定のお客様を想定するものなので、対象としているお客様は誰かを抽出します。物語では「ストレスの多い現代社会の女性」としていました。

（2）商品・サービスの特徴は何か

新商品・サービスには、「売り」がありますよね。その「売り」を表現すればいいのです。物語では、「酒発酵エキスを美肌に役立てる」でした。

（3）独自能力は何か

少し難しい言い方をしていますが、要は、強みは何かということです。物語では、「歴史のある造り酒屋」と「地元特産の和紙」でした。独自能力は、何かはっきりした技術やノウハウというものばかりでなく、「歴史のある」というような無形のもの、「ブランド」を感じさせる何かでもいいわけです。ただし、それは顧客に認められうるものであることが条件です。

図2-03 事業コンセプトの要素

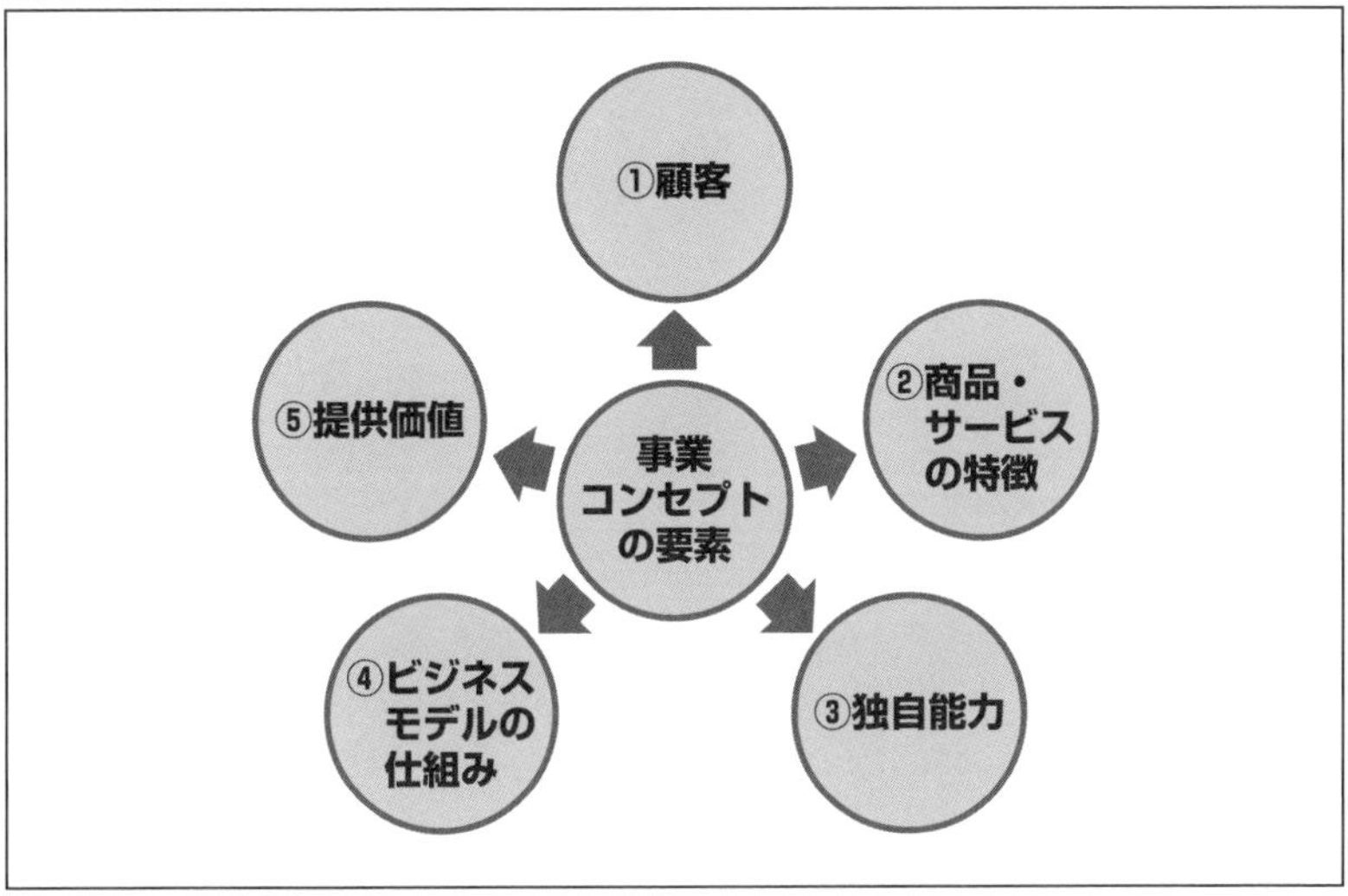

（4）ビジネスモデルの仕組み

ビジネスモデルとは、儲けの仕組みともいうべきもので、会社として必要な利益が出るためには、売値と仕入値の間にきちんとした利幅があって、かつ会社としてかかる費用を賄えるだけの利幅でなければなりません。例えば、その利幅が、会社でかかる費用よりも少ないとなると、会社は赤字になってしまいます。この新規事業の場合は、和紙などを仕入れて、酒発酵エキスを含ませ、フェイスマスクとしてパッケージに入れて売るわけですが、それらにかかる費用以上の売価や売上が得られないと、ビジネスモデルとして成り立たないということになるわけです。

（5）顧客への提供価値

私達はお客様に商品・サービスを提供する際に、ついついお客様は、その商品・サービスが欲しいから買ってくれるのだと思いがちですが、そうとは限りません。物語では、「ストレスの多い現代社会の女性のお肌を元気にする」と碧が答えていますが、お客様は、フェイスマスクを買いたいのではなく、自分の肌を元気にしたのですね。自社の商品・サービスを販売する場合は、この顧客にとっての価値を忘れてはいけないのです。

こうして、事業コンセプトにつながる5つの要素を並べて見つめていると、ひとつのフレーズが浮かんできます。物語では、「酒発酵エキスたっぷり和紙マスクでつやつや美肌」と少々長いフレーズになりましたが、最初からうまいコピーのようにできなくてもいいので、まずは、的確に表現できるように心がけましょう。

事業コンセプトは、この他にもあなたが知っている例を挙げれば、「出店料が安くたくさんのお店が出ているインターネットショッピングモール」＝楽天や、「複数の人で自動車を共有して維持費を下げるサービス」＝カーシェアリングなどがあります。

図2−04 事業コンセプトの例

事業コンセプト ●酒発酵エキスたっぷり和紙マスクでつやつや美肌

説　明

- ●昔から酒屋さんの奥さんは美肌だとか、杜氏の手はつやがあると言われていますが、近年の研究成果によると、それは、お酒に含まれるアミノ酸の効果によるものだとわかってきました。
- ●私も、子供の頃、近所の子供達から、「お肌つるつるね」と言われてきましたが、都会に出てそれが失われて、初めて、それがお酒の精によるものだとわかりました。
- ●実家の造り酒屋は、江戸時代から地元の人に愛される清酒造りに励んできましたが、残念ながら父が急逝し、我が家は、跡取りがいなくなってしまいました。
- ●長女の私は、酒造りのことは皆目わかりませんでしたが、昔から協力してくれていた杜氏さんたちの助けもあり、何とか伝統のお酒を造り続けることができるようになりました。
- ●私は、女性ではありますが、造り酒屋を継いでいく決心をしました。
- ●そして、女性としての特徴を生かすために、お酒の持つ素晴らしい効能を、世の中の女性の為にも役立てたいと思い、「酒発酵エキス」をたっぷり浸したパックを開発しました。
- ●地元産の和紙に浸してあり、とてもつやつや効果が高い製品です。
- ●ストレスの多い現代社会の女性お肌を元気にしたい。
- ●そんな思いで、商品化、事業化しました。

04 ビジネスモデルを組み立てる

▼9つの要素で仕組みを作る

ビジネスモデルとは儲けの仕組みのことです。

ここでは、アレックス・オスターワルダーらが提唱した、9つの要素で表す方法を紹介します。

（1）ユーザー

お客様は誰で、どんなニーズを持っているのか。物語だと、敏感肌の女性で、肌を美しくしたいというニーズを持っている人達です。

（2）提案

これは、ユーザーに対してどのような提案をするのかということで、お客様に対してメリットのある提案である必要があります。碧の場合だと、「つやつや肌になれる美顔パック」です。

（3）流通

お客様に、どのようなルートで商品やサービスをお届けするかということです。物語では、地元商店での扱い、土産物店での扱い、ネットショップと3つの流通ルートを想定しています。

（4）関係

これは、お客様とどのような関係を構築するか、維持するかということです。商売はリピートが大切ですから、お客様との関係の作り方を工夫します。碧の場合だと、直販で、お客様の感想やニーズを聞き商品改良に役立てられます。

（5）収入と流れ

お客様から商品・サービスの対価をどのようなルートでいくらもらうのかを示します。碧の場合だと、フェイスマスク5枚1パック1500円で小売りし、商店へは、7掛けで卸しています。

(6) 活動と付加価値

これは事業主体である会社・組織がどう活動をして付加価値を加えるかを指しています。物語では、日本酒造りから得られる「酒発酵エキス」を地元産の和紙に染み込ませ、パックすることです。

(7) リソース

これは、事業主体がどのようなリソース（経営資源）を持っているかで、物語では、日本酒醸造技術、そのエキスを化粧品に生かす実験や研究、新しい商品を開発する技術開発などです。

(8) パートナー

原材料メーカーや製造委託先などの事業協力者を指します。物語では、和紙を作る人や製品の製造委託先等がこれに当たります。

(9) コスト構造

収入に対してコストが見合っていないと儲けられませんから、原材料費や加工費などトータルで適正なコストになっている必要があります。

図2−05 ビジネスモデルの図

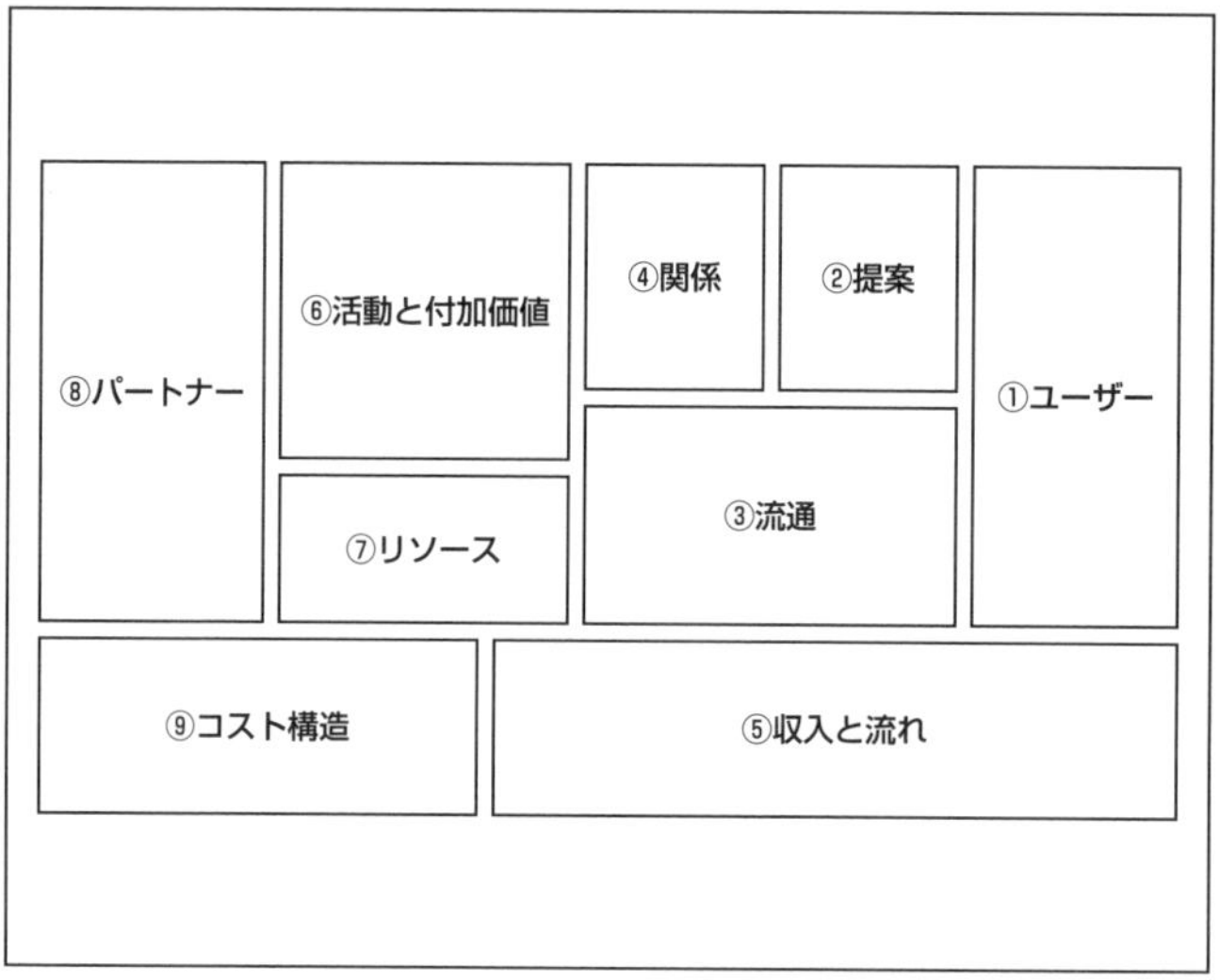

05 事業理念と事業ビジョンを決める

▼事業を行う使命や価値観を表す

事業理念とは、その事業を行う使命や事業を運営する上で大切にする価値観を表すもので、事業を行うベースになります。「人々を病気の苦しみから解放したい」と思って薬を開発するとか、「世の中をもっと便利にしたい」と思ってネット通販を行うとか、「絆を深め合える場を提供したい」と思って周年行事を請け負う事業を行う等、その事業を通じてどのように世の中の役に立ちたいかを表現するものです。企業理念は、企業全体の理念ですし、事業理念は、その事業の理念ということになります。

物語では、「人々の美容と健康に奉仕する」となりました。

よく「利益は結果であり、目的ではない」という言い方がされます。事業は、利益が出ないと続けられませんが、利益だけ追いかけていると、不正をしたり、良くない方向に走ることもあります。ですから、きちんとした事業理念を掲げて、事業目的を追い続けられるようにしましょう。

▼そもそもどんなことで世の中の役に立ちたいか

皆さんの会社にも社長室や会議室に額に飾ってある社是や経営理念等を見かけることがあると思います。事業理念とはもともと創業者やそれを定めた経営者が経営の根本と定めた大切なものなのです。あるアメリカの研究者が、長く繁栄を続けている企業とそうでない企業を比較分析してみたところ、一番の違いは、この理念を大切にしてき

図2−06 事業理念と事業ビジョン

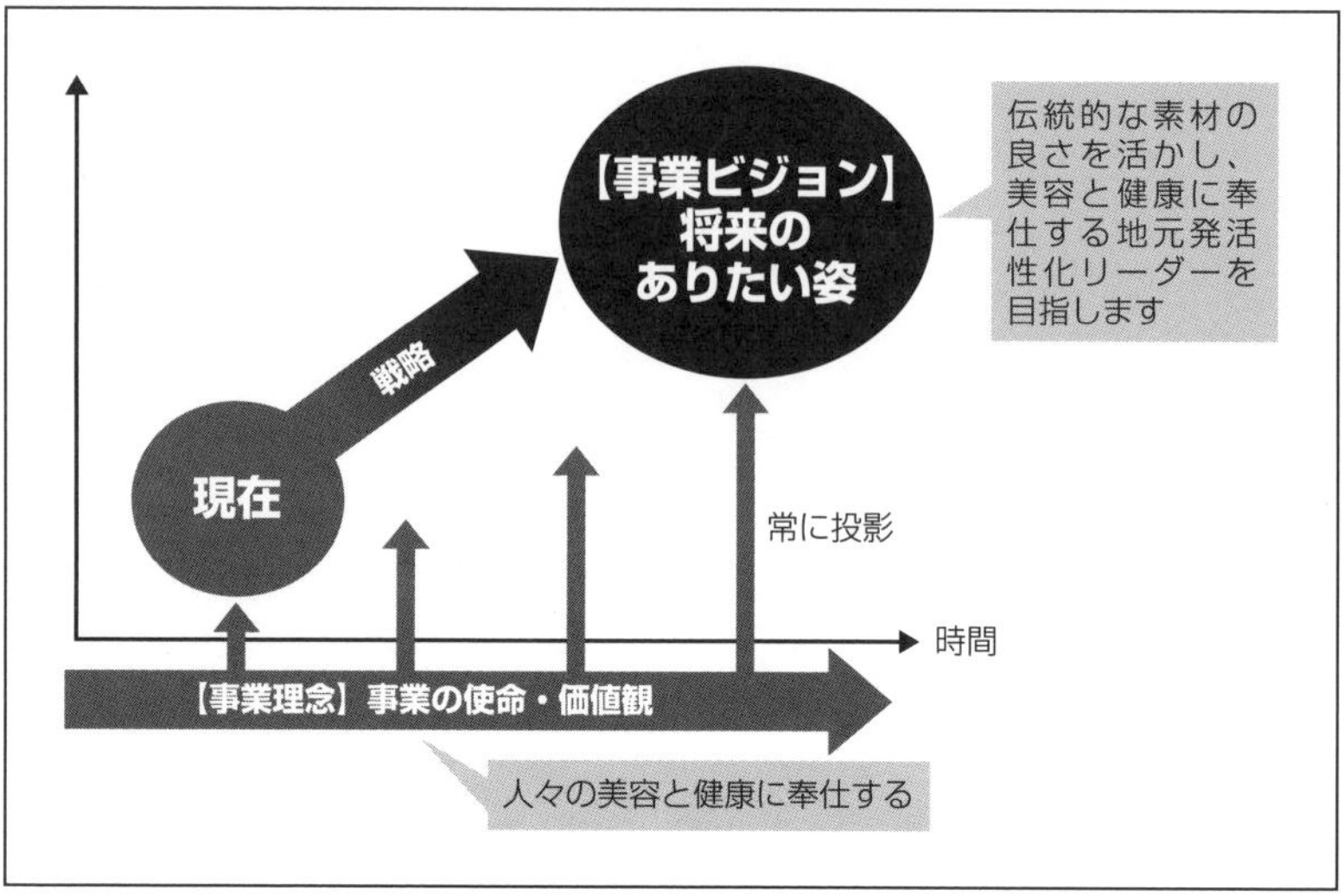
【事業ビジョン】
将来の
ありたい姿
伝統的な素材の
良さを活かし、
美容と健康に奉
仕する地元発活
性化リーダーを
目指します
戦略
現在
常に投影
時間
【事業理念】事業の使命・価値観
人々の美容と健康に奉仕する

ているかどうかであったということがわかったそうです。ですから、お題目のように思わないで、思いのこもった事業理念を掲げ、大切にしましょう。

事業計画書を作る時には、「そもそも自分はどんなことをして世の中の役に立ちたいのか」に立ち返って事業理念を設定することをお勧めします。

事業理念は、頻繁に変えるものではないので、事業をスタートして当分の間は変えなくてもいいような、ベーシックな言葉を選びます。

▼事業ビジョンとは?

事業理念に対応して、事業ビジョンというものがあります。少し紛らわしく感じるかもしれませんが、明確に違うポイントがあるので、押さえておきましょう。事業ビジョンとは、事業理念の考え方を受けて、何年か後に事業をどのようにしていたいかということを表現するものです。事業の

図2−07 事業理念と事業ビジョンの例

事業理念

●人々の美容と健康に奉仕する

- いつまでも若々しく健康にというのは、すべての女性の願いです。
- 私たちの先祖が代々伝統を受け継いで作り続けてきた日本酒には、お肌に潤いとツヤをもたらす効果があることがわかっています。
- そのお酒を飲んで楽しんでいただくだけでなく、皆様の美容と健康にも役立てていただきたいと思っています。
- 長生きができるようになった現代、いつまでも若々しくいていただくお手伝いができればと思っています。

事業ビジョン

●伝統的な素材の良さを活かし、美容と健康に奉仕する地元発活性化リーダーを目指します

- 江戸時代から続く伝統のお酒から生まれる素材を活かして、地元の方々にも長く愛していただくとともに、事業を多角化し、少しでも地元の活性化に役立てればと思っています。

将来像とも言っていいでしょう。

物語では「伝統的な素材の良さを活かし、美容と健康に奉仕する地元発活性化リーダーを目指す」となりました。酒発酵エキスを使ってフェイスマスクを売ろうと思っていた碧ですが、だんだん大ごとになってきましたね。でも、それでいいのです。「これは大ごとだな」と思えるくらいのものでないと、協力者も現れません。「ちょっと試しに思いつきで『なんちゃって商品』を作ってみることにしました」というような軽いノリに対して、お金を出そうとか、協力しようという人は現れるでしょうか？「勝手にやったら！」と無視されるだけでしょう。

大きな志があるから人が寄ってきます。協力者が現れます。自分のなかでも「大ごと」にして、自分の使命感を奮い立たせましょう。

将来像を表すには3種類の方法があります。

（1）将来像をキーワードで表す

短いキーワードを使って表現します。例えば、「町起こしのリーダー」とか、「日本一のラーメンチェーン」とか、対外的な評価やポジション（地位）を表す言葉です。事業ビジョンとして一般的に使われるのがこうした表現形態です。物語で使われていた言葉は、このカテゴリーに入ります。

（2）定量的な目標で表す

「5年後売上高10億円」とか、「業界シェアNo.1」とか、数字を使って表現するものです。数字で表現する方法は、覚えやすい、規模感を出しやすい、達成できたかできないかが簡単にわかるなどの長所があります。一番多く使われる表現方法です。通常は、この（1）と（2）の方法が多く使われますが、ひとつ問題点があります。それは、なかなかイメージが湧いてこないことです。イメージというのは、聞いた時に頭の中に映像が浮かんでこないということです。このため、共感・共鳴しづらいのです。

（3）達成したイメージや感覚・感情で表す

そこで必要になるのが3つめの方法で、達成したい将来像をイメージや感覚・感情で表現する方法です。例えば、日本一のラーメンチェーンになっていたら、駅前では必ずそのお店が目につくとか、お店の名前を言えば、誰もが知っているとか、そこで働いていると友人に言ったら「お前の会社の店でよく昼飯食っているよ」とか「あの店、安くてうまいんだよね」と言われて嬉しく思うなど、イメージや感覚・感情が湧いてくる表現です。このイメージや感覚・感情を伝えるのに「ビジョン・ストーリー」というものを使います。「未来予想図」のようなもので、将来像をストーリーの形で表現するのです。本書では、ＳＴＥＰ４（１４２頁）で紹介します。

STEP 3

商品・サービスを検証する

STORY 3 誰に何を売るの？

そのためには
まわりが「ぜひ一緒に
やらせてくれ」って
思うようなプランを
君が作るんだよ

ぼ〜〜
STORY 3
誰に何を売るの？
碧ちゃん どうしたの？ 浮かない顔して
はい おまち
だって鶴さんは「俺はそんなの反対だ！」の一点張りだし
お母さんは「そんなことして、大きな借金でも背負うじゃないだろうね？」って心配気だし
妹の真澄は「無理しない方がいいんじゃないのお姉ちゃん」って
誰も応援してくれないんだもの
あーん いただきます〜！
がつがつがつがつ
ちわ〜
いらっしゃいませ〜
そんな顔してたら福の神も逃げていくぞ
でも だって
どうしてみんなそんな態度かわかるか？
要するに私のやることに反対なんでしょ！

いや
そうじゃない
みんな怖いんだよ
不安なんだ
これを
はい
まだ見たこと
もないものを
ぼんやり想像して
怖がっているのさ
……
俺も初めて事業を
やろうとした時
周囲が反対した
みんな
「絶対失敗するからやめろ」
「そんなうまい話あるか」
って
でも
どうしてもやりたくて
自分を信じて強引にやった
結果
その事業はうまく
行かなかった
それが皆の協力が
得られなかったからだ
と後でわかったよ
だから
次の事業に取り組む時には、
周囲がいやでもわかるくらい
しつこく説明した
投資家にもだ
投資家って？

事業にお金を出してくれる人達だ
投資家
投資
事業
?
そのお金っていつか返さなきゃいけないんでしょ?
いやその金そのものは出資金といって銀行からの借金と違って返さなくていい
その代り儲けたお金を配当として返すことになる
事業主
配当
儲けたお金
投資家
そうやって事業の協力者を募ってお金を集めて事業を始めたんだ
それで儲かったんですか?
ああ……ってそれより今の君のことだ
ぴっ
おひやでーす
どうも
みんなリスクを感じて尻込みしている
でもリスクのないビジネスなんてないどんなビジネスもリスクがある

歴史のある造り酒屋だって跡取りがいなければお終いだろう?
要はリスクをどれだけコントロールできるかだ
この段階でできる一番のリスク軽減策は事業計画書をしっかり固めることだ
じぎょうけいかくしょ・・・
うむむ・・・
周りの反対なんてのはよくあることでそれを自分のやる気のなさの言い訳にしていちゃあ起業家とは言えない
自分のなかに燃えるような炎があってそれが動力源になって前に進んでいくんだ周りを説得し、巻き込んでいくんだ
そのためにはまわりが「ぜひ一緒に」やらせてくれ」って思うようなプランを
君が作るんだよ

それじゃあ今日の話題に入ろう
今日は
だ
①ターゲット顧客とニーズ
②市場規模
③取扱い商品・サービス
④競合と競争優位性
ううっ…
また難しそう
何か言った？
あ　いえいえ
さ　さあ　お願いします
よし
じゃあ　ターゲット顧客からだ
君の商品を買ってもらいたいお客さんを分類するんだ
試しに　3つ挙げて
まず一番は
地元の女性
地元の女性

地元の人達にはぜひ使ってもらって
商品の良さをわかってもらいたいです
その地元の女性はどんなニーズを持っている？
やっぱり、「顔や手をきれいに保ちたい」でしょ「肌荒れしたくない」とか
年齢は関係あるかい？
20歳以上だったら誰でも当てはまると思います特に中年女性はニーズが強いかも
じゃあ、第2のターゲットは？
地元以外だと都会が主ですが
敏感肌の女性…ですね
意外に多いんですよ東京の友達でも悩んでいる人は結構いました

じゃあ
日本全国に敏感肌の
女性は何人いる？
えっ⁉
それは…わかりません
わかるだろ？
調べるんだよ
統計なんかを
インターネットで
パソコン持ってるだろ？
「敏感肌」「人数」なんかを
検索のキーワードに入れて
調べるんだ
Moogle
敏感肌 人数
検索
それでも見つからなければ
推定するんだ 自分の周りの
敏感肌の女性の比率を調べて
それを日本全国の女性人口に掛けたら
ひとつの参考値が出てくるだろ？
えっ それで
いいんですか？
これは他にデータが
なければの話だ
検索して見つかったら
それを使う
ただしデータの出所は
複数当たって確からしさを
確認した方がいい
それで
わかったとして
彼女達のニーズは
何だ？
「健康なお肌を
保ちたい」ですね

おみやげ
それじゃあ第3のターゲットは？
観光客もありですけどニーズとしては第2のターゲットと同じなので軽度のアトピーとか、敏感肌の人達でしょうか
症状がひどくて悩んでいる人達に喜んでもらえたら嬉しいです
ニーズは、「重い肌荒れから解放されたい」かしら
1.地元の女性
『顔や手をきれいに保ちたい』『肌荒れしたくない』
2.敏感肌の女性
『健康なお肌を保ちたい』
3.アトピーなど重度の敏感肌の人達
『重い肌荒れから解放されたい』
3つのターゲットとニーズ
次の市場規模もネット検索なんかを最初使うのと
ターゲット別に購入者数×商品単価×月当たりの購入数×12ヶ月とかで金額を算出するんだ
購入者数×商品単価×月当たりの購入数×12ヶ月＝金額
おまち～
どうも
はい
でもそれでいいんですね

あくまでも参考値としてだよ
はふ
次は
メインの取り扱い商品・サービスだ
商品ラインナップを考えるんだ
商品ラインナップ
うーん
酒発酵エキスを和紙にしみこませたフェイスマスクがメインです
地元の女性に使ってもらうことを考えると「いきなりパックしろ」と言うのも敷居が高いので使いやすい化粧水からがいいかなと思っています
それと手に使ってもらうにはやっぱクリームがいいかな と
じゃあ最初はその3種類で行くのか？
ええ
まず手と顔をカバーできればと思っています
その他の部位も化粧水かクリームがあれば応用が効くので
それでいくらで売る？
まだ　ちゃんと考えていないんですが
できるだけリーズナブルな値段で売りたいなぁと
1000円～1500円くらいで売れたらと思っています

原価は？
ちゃるん
えっ!?
ゲンカ？？？
その商品
いくらでできるか
ってことだよ
えっ
まだ
わかりません
でも
日本酒プラスアルファ
じゃないかと
ちゃんと原価を
積み上げた方がいいな
ただ
いまはまだそこを
突っ込む段階じゃ
ないから次に行こう
ずる
ずる
競合は？
あっ
そうそう
この間言われ
ましたよね
ネットでいいから
競合や類似商品を
調べろって

調べたら ありました
ごそ
これです 印刷して 持ってきました
パサッ
なるほど
なかなか大手の 酒蔵がやってるな
それも 似たような 商品で
これじゃあ ブランドで 負けちゃいますか？
そう なんです
やる前から 負けててどうする！
でも… どうしたら いいんでしょうか？

違いを作るんだ マーケティングでは 差別化って言うんだが
お客様の目から見た違いや いい点を作るんだ
で 君のは どこがいい
和紙に 酒発酵エキスを しみこませている ところが違います
それは 何がいいんだ？
化学物質を使っていなくて 敏感肌には優しいんじゃ ないかって思います
試して みたのか？
ギロ
いえ まだですけど…
フゥ
どんなにいい商品だって 試していい結果が 出ないのはダメだ きちんといい結果が 出たものであれば いいって宣伝できる だろう？
すぐだ！ すぐっ！
ぴゅーっ
はっ はい！

01 ターゲットを決める

▼なぜ先にターゲットを決めるのか

商品・サービスを具体化していくには、先にターゲット顧客を設定し、それから商品・サービスを詰める方法と、商品・サービスを詰めておいて、それに合うターゲットを探す方法とありますが、どちらがうまく行くでしょうか?

答えは、先にターゲット顧客を設定する方法です。

なぜかと言うと、商品・サービスを買ってくれるのは、お客様だからです。よって、そのお客様のニーズにきめ細かに応えられる商品・サービスでないと選んでもらえないからです。自分のアイデアに心酔するタイプの人は、往々にその逆をやり、失敗します。そして「こんなにいいものが、なぜ売れないのか?」と嘆くことになります。

そうならないためにも、まずターゲット顧客を決めましょう。

▼ターゲット顧客を決める方法

ターゲット顧客を決める方法はいくつかあります。代表的なものに次のようなものがあります。

●性別（男女）
●年齢層
●家族構成
●所得（年収）
●職業
●趣味

これらの分け方をセグメンテーション（小さな部分に分けること）と言います。

このセグメンテーションの方法は、ひとつの切り口だけでなく、2つ、3つと組み合わせて使う

ことも可能です。例えば、「30代の女性」とか、「40代の年収1000万円以上のスポーツ好きの男性等」という組み合わせです。

▼顧客層に広がりを持たせる

このセグメンテーションの方法を使って、そのターゲット顧客層を想定していきます。

物語では、ターゲット顧客層を3つ設定しています。

(1) 地元の女性

この事業の場合、地方の造り酒屋という地域性があるとともに、地元の活性化もビジョンに掲げていますから、地元の女性は外せないですね。また、地元の女性に使ってもらい、使用感等のフィードバックがもらえると、自分達の商品に自信も出てきますから、まず地元の女性に使ってもらうというのはいいことですね。地元の女性のニーズは、「顔や手をきれいに保ちたい」「肌荒れしたくない」です。

図3-01 セグメンテーションとターゲットの例

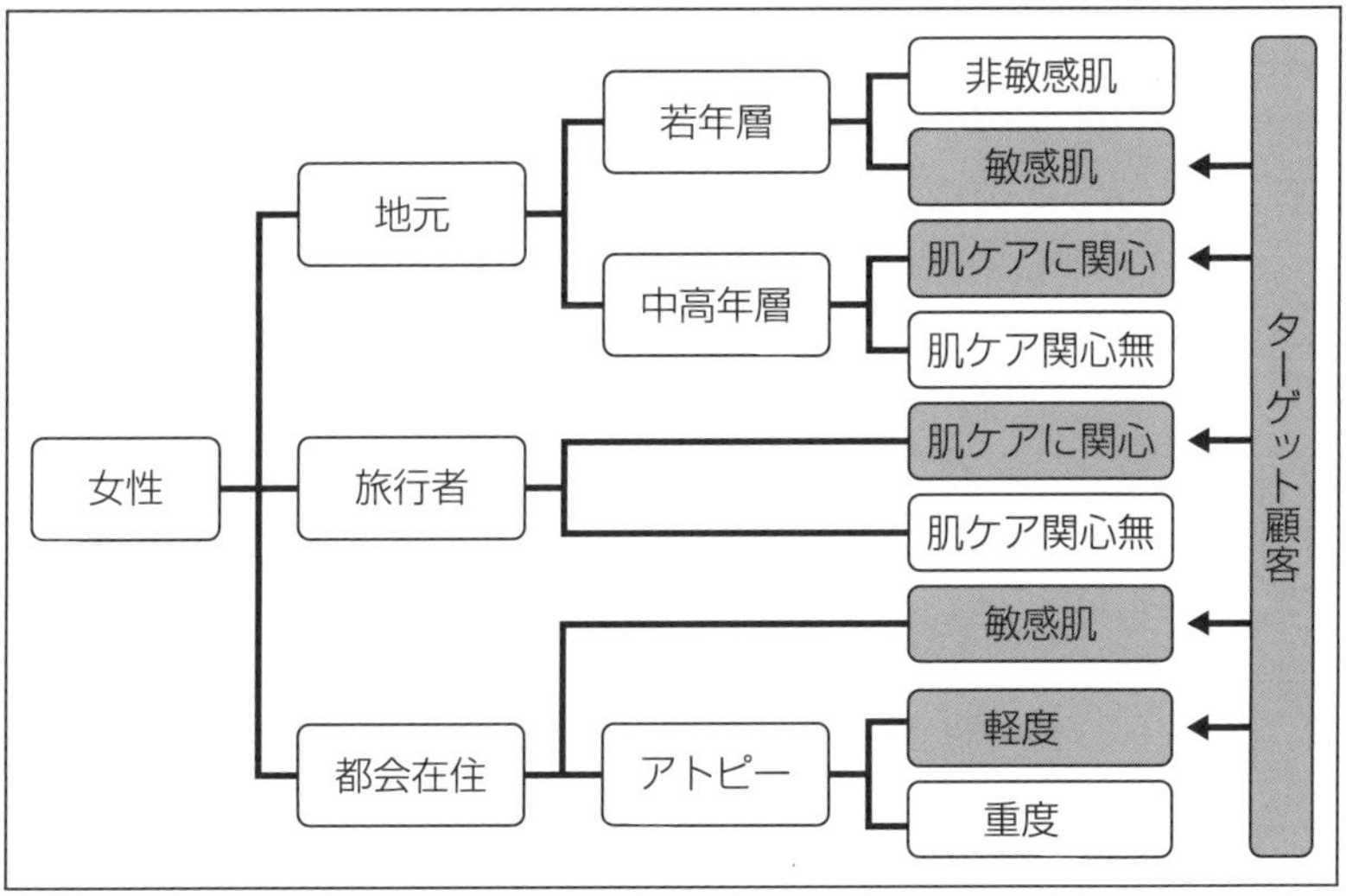
女性
地元
旅行者
都会在住
若年層
中高年層
アトピー
非敏感肌
敏感肌
肌ケアに関心
肌ケア関心無
肌ケアに関心
肌ケア関心無
敏感肌
軽度
重度
ターゲット顧客

（2）敏感肌の女性

ここで一気に顧客層が広がります。地元から全国になります。彼女達のニーズは、「健康なお肌を保ちたい」です。顧客ニーズは、このように、なるべく顧客の言葉で表現した方がリアリティがあります。

（3）軽度のアトピー等重い肌荒れの人達

この層の人達は（2）の一部とも言えますが、症状がやや重いことで、異なるターゲットと見ることができます。うまくフィットするとヘビーユーザーにもなってくれる可能性がありますし、同じ悩みを抱える人達同士での口コミも盛んである可能性が高いと言えます。ニーズは、「重い肌荒れから解放されたい」です。

ターゲット顧客層を3つ設定する理由は、顧客層に広がりを持たせるためです。

第一の顧客層には、事業開始当初に確実にお客様になってもらいたい人達を設定します。そして、事業をだんだんと拡大するにつれ、ターゲット顧客層を広げていきます。そうすることによって事業の成長を図ることができます。

図3−02 顧客ターゲットのまとめ方例

ターゲット顧客	顧客層ア	顧客イ	顧客層ウ
プロファイル	地元の女性	敏感肌の女性（広義）	重い敏感肌（狭義）
顧客数	1,000人	約600万人	約60万人
ニーズ	手軽に肌ケアしたい	自然素材で、お肌に潤いを	化粧品で肌荒れしたくない
その他	まず地元の女性に使ってもらい、良さを実感してもらって、それを梃に広めたい		

02 事業を取り巻く状況を分析する

▼市場規模を推定する

物語では、小篠が「日本全国に敏感肌の女性は何人いる?」と碧に問いただしました。いきなり聞かれた碧は驚いていますが、小篠が言うように、ネットで検索したり、ある程度わかる数字から推定する方法を使って顧客数や市場規模といったものを推定します。市場規模とは、対象としているお客様全体が1年間にお金を使う金額や購入する数量のことを指します。化粧品で言えば、年間販売数量や販売金額です。

市場規模の出し方には、大きく2通りがあります。ひとつは、関連する統計を調べて、その統計数値から推定する方法です。これは、もとの統計数値さえ正しければ、その後の推定を誤らない限り妥当な数値を算出することができます。

▼フェルミ推定とは?

もうひとつの方法が今回物語で紹介した、統計に基づかない最初からの推定です。一般にこれをフェルミ推定と言います。物理学者のエンリコ・フェルミがよく使ったことから科学の世界から広まった方法です。そもそも統計数値が存在しない場合に、いくつかの前提条件を置いて、当たらずとも遠からずの推定値を出す方法です。物語では、購入者数×商品単価×月当たりの購入数×12ヶ月という計算方法を使いました。

市場規模は、これから行う調査によって精査をしていきますが、初期段階では、そもそもどの程度の市場規模があるのかという観点からこうした

そもそも、どのくらいの市場があるか調べましょう!

フェルミ推定を活用すると便利です。

市場規模推定を行う際は、複数の情報源や複数の推定方法を使って検証することをお勧めします。ひとつの情報源だけでは対象範囲や情報源の確からしさなどから信頼性が高いとは言いきれないからです。

図3－03 フェルミ推定の例

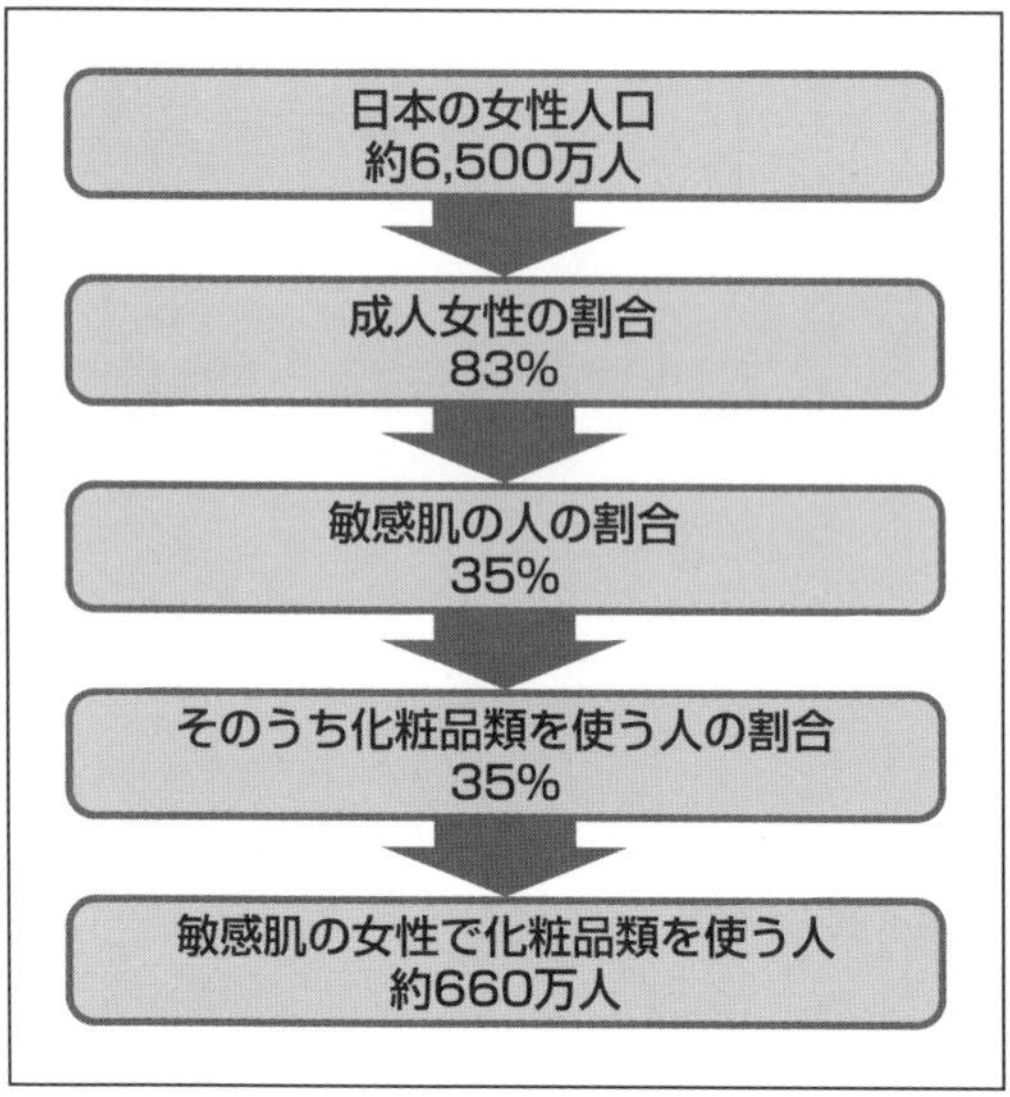
日本の女性人口
約6,500万人
成人女性の割合
83%
敏感肌の人の割合
35%
そのうち化粧品類を使う人の割合
35%
敏感肌の女性で化粧品類を使う人
約660万人

▼市場規模～事業規模を推定する

事業規模は、市場規模から考えて、市場のどの程度のシェアを取れる可能性があるかで推定します。インターネットを使った事業であれば、いきなり全国展開が可能（場合によっては全世界展開も可能）ですから、実需のうち、ネット経由の比率とそのなかで当事業が獲得できるシェアなどから推定することができます。

こうして推定された事業規模を見てみて、あまりに小さい場合、例えば日本全国で見ても年間1億円しか需要がない等の場合には、対象顧客セグメントや商品・サービス内容を見直して事業規模を拡大するなどの対応が必要になります。事例では、数百億円規模の市場がありそうですから、対象とするにはいい規模と言えます。

また、逆に対象市場規模が大きすぎる場合は、もう少しセグメントを細かく切って考える対応が必要です。なぜなら、そんなに大きな市場であれば、すでに大手が商品・サービスを提供しているでしょうし、そうした大手と最初から競合するとなると勝ち目が少ないからです。もしまだ大手の参入がないのであれば、よほど画期的な商品・サービスであるか、その市場規模の見方が、単にある観点から規模推定しただけで、こちらから簡単にには全体にアプローチできない可能性があるからです。例えば、全国の家庭に眠っている不用品の数と金額等が良い例です。あなたの家の使わなくなっている不用品のことを思い浮かべてもらえば想像がつくと思いますが、それらの数と金額は膨大になるでしょう。しかし、どうやってそれにアプローチするのか、つまり、どうやって皆さんの家から不用品を出してもらうか、なかなか簡単で有効なすべがありません。その点、対象商品を古本や衣類に限定するとアプローチできませんか？古本は、例えば宅急便で買い取りセンターに送ってもらうようにすると買取りが可能になりますし、衣類でいうと、駅など人通りが多いところにお店を出して、買取りと販売を両方とも行うようにすると商売が成り立ちます。これは対象商品を限定してセグメントを細かく切った例です。

図3－04 市場とその規模のまとめ方の例

市場	規　模 （金額・数量）	特　徴
国内市場全体	600億円	
セグメント1	約100億円	狭義の敏感肌 （アトピー等）
セグメント2	約500億円	広義の敏感肌 （肌荒れしやすい等）

03 本当のニーズをくみ取るには

▼顕在ニーズと潜在ニーズ

ターゲットや狙う市場を決めたら、次は、ターゲット顧客の顕在ニーズや、潜在ニーズを想定します。

顕在ニーズと潜在ニーズは、それが顕在化しているかいないかで区別できます。例えば、旭川の旭山動物園で、動物のユニークな行動展示をして大変評判になり長い行列ができました。そして、その後全国で同様の行動展示が広まりました。動物園というと、動物が檻のなかにじっとしているのを見るものだと思っていたのが、生き生きした生態が見られるとわかると、皆そうしたものを見たくなったということです。これは、動物園見学者の眠っていたニーズが顕在化し、普及したと言えるのです。ですから、この場合は、旭山動物園でそうした行動展示が世に出るまでは潜在ニーズであったわけです。

顕在ニーズと潜在ニーズ、どちらを追求した方がいいとは一概に言えませんが、顕在ニーズの方がすでに出ている分、とらえやすいと言えます。それに対して潜在ニーズは、掘り起こすまでに時間がかかります。ただ、いったん自分で掘り起こすことに成功したら、他社の追随を許さず独占的に市場を押さえられる可能性があります。

▼碧が設定した各ターゲットのニーズ

物語では、どう設定していたでしょうか？

(1) 地元の女性

ニーズは、「顔や手をきれいに保ちたい」「肌荒れしたくない」です。

(2) 敏感肌の女性

誰もが、自分の欲しいものを自覚しているとは限らないのね！

ニーズは、「健康なお肌を保ちたい」です。顧客ニーズは、このように、なるべく顧客の言葉で表現した方がリアリティがあっていいのです。

(3) 軽度のアトピー等重い肌荒れの人達

ニーズは、「重い肌荒れから解放されたい」です。

ニーズは、漠然と「手肌をきれいに保ちたい」という大雑把な捉え方から、「中高年女性の冬場のカサつく手肌に潤いを」というように顧客層や時期、状況まで特定した具体的なニーズとがあります。漠然としたニーズは捉えにくく、具体的なニーズの方が捕まえやすいのは当然です。ですから、顧客ニーズは、極力具体的に捉えるようにしましょう。

これまでのことからわかるように、事業計画書を作る人は、必ず、ターゲット顧客に相当する人に複数、必ず直接インタビューして、ニーズを聞き出しましょう。

と言うのも、アイデアを思いついた段階では、想定した、いわば仮説ですから、ターゲット顧客本人がそのようにニーズを感じているとは限らないのです。

実際に、事業計画を立案しようという人達にターゲット顧客インタビューを実施してもらったところ、当初想定とは違うニーズが出てきたことがありました。これは、決して本人達が的外れなのではありません。それだけ、「生きたニーズは、聞いてみないとわからない」ものなのです

図3-05 顕在ニーズと潜在ニーズ

顕在ニーズ	潜在ニーズ
●顕在化している	●潜在的
●既存商品・サービスがある	●既存商品・サービスがない
●事前に買いたいというニーズを持っている	●見せられたり、使ってみて感じる
●競合がある／多い	●競合がない／少ない
●価格に左右されやすい	●商品・サービスの特徴が第一

04 ライバルを洗い出す・比べる

▼まずはキーワード検索してみる

どのような事業にも必ずといっていいほど競合や類似商品・サービスがあります。まれに競合がいないケースがあり、ブルーオーシャン戦略などと呼ばれますが、大半は競合や類似があると考えて間違いありません。ですから、あなたも、まずはインターネットを使ってキーワード検索してみてください。あなたの事業の特徴をキーワードに検索をかけてみるのです。おそらく表示されたリストのなかに競合や類似事業者が出てきます。もし出てこなかったら、ひょっとするとそれは現実には成り立たない事業かもしれません。それくらいのつもりで探してください。

競合や類似企業と比較することは、単に事業計画を磨き上げるためだけではなく、他の人に事業のユニークさや特徴を効果的に伝える引き立て役にもなりますので、必ず対比表を作ります。

競合や類似企業がピックアップできたら、左頁にあるような対比表に当てはめて、見比べます。

対比表を作って、自分の事業の強み・弱みを明らかにしましょう。例え後発でも、また、例え規模が小さくても、商品・サービスの中身がいいとか、価格が安いなどといったの特徴・強みを出せるはずです。

その際に、お客様から見てその事業の方が有利な点があることが重要です。あくまでもお金を出すのはお客様ですから、お客様にとって選ぶに値する良い点がなければなりません。物語では、和紙を使っているところや、実験結果があることが強みとしています。

お客様から見た強みを見つけることが重要ね！

図3－06 競合と当該事業の重要成功要因

	当事業	競合A	競合B
会社名	恵那酒造	京都　福太屋	つやぬか美女 JMAM化粧水　（大和盛）
ターゲット顧客	敏感肌の女性	敏感肌の女性	敏感肌の女性
ニーズ	すべすべ肌になりたい	肌がうるおう	みずみずしく 血行のいい肌を作りたい
商品・価格	フェイスマスク5枚 1,500円 化粧水100ml 1,300円 クリーム50ｇ 1,200円	洗顔、美容液、化粧水等ラインナップ。 モイストパック５枚入り5,250円と高価	湧水と米ぬかの「つやぬか美女」シリーズ。 120ml、1,575円とお手頃。 マスクはなし
販売方法	直販、地元売店 オンラインショップ	直販、 オンラインショップ、 全国酒販店	直販、 オンラインショップ
プロモーション	地元店頭、旅の口コミ、雑誌紹介	各種女性雑誌で紹介される	
強み・弱み	老舗の酒蔵、名水、和紙、実験結果	京都、江戸時代からの老舗酒蔵、「華正宗」ブランド。 トライアルセット	新潟、「大和盛ブランド」、商品ラインナップ
資本金	1,000万円	3,000万円	5億5,000万円
売上	約１億円	不明	不明
経常利益	300万円	不明	不明
従業員数	10名	80名	250名
重要成功要因	老舗、効果、リピート、マスコミを通じた全国展開	京都ブランド、ラインナップ、マスコミ取り上げ	お酒の知名度、リピートユーザー

05 情報収集と調査

▼「調べて」事業アイデアを具体化する

新規事業は、わからないことだらけです。ですから、具体化しなければならない事項を抽出して、必要なものは情報収集や調査を行い、内容を明らかにしていきます。

明らかにしなければならないポイントを左記のような「事業アイデアの内容確認」表を作って明確にします。そして、それらを具体化する方法を検討します。物語には出てきませんが、碧も論点表を作って調査しました。

具体化する方法には大きく分けて2通りあります。ひとつは自分で考えて具体化する方法です。どのような商品・サービスにするか、機能はどうするか、容器はどうするか、名称をどうするかなど、自分で考えるしかないものがあります。自分で考えて自分で決められるというのはある意味楽しいことですね。

もうひとつは、調べて具体化する方法です。この、調べて具体化する方法は、さらにいくつかに分かれます。すでにある情報を入手する方法と、欲しい情報がない場合に、自分で調べて調査する方法です。前者を2次情報、後者を1次情報と言います。順番としては、まず2次情報を調べ、そのなかでどうしても具体化に必要で、自分で調査する必要がある1次情報は調査を行うという形になります。

まず、インターネットの検索で、あなたが欲しい情報がないかどうか調べます。最近は、人口など政府が扱っている統計数値は総務省のホームページ等から検索できるようになっています。ただ

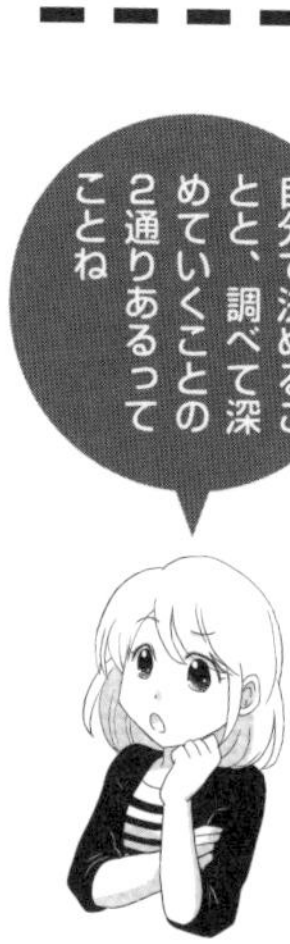
自分で決めることと、調べて深めていくことの2通りあるってことね

し、インターネットで得られる情報には限りがあることを肝に銘じておきましょう。

次に文献調査を行います。文献調査は、マーケットシェア事典や様々な業界調査文献などに当たります。

収集する情報には大きく定量情報と定性情報があります。定量情報とは、人口や売上金額のように数値にできるもので、定性情報とは、最近は顧客が低価格志向になっている等の数値化できない情報です。事業計画書を作ることを考えると、定量的に把握できるものはなるべく定量的に把握するようにしましょう。

文献で得られない情報は、インタビューとアンケート調査によって得ます。

図3－07 事業アイデアの内容確認の例

	事業名：酒発酵エキススキンケア	具体化度合	具体化する方法
事業化主体	恵那酒造株式会社	◎	別会社にするかどうかは別途検討
ターゲット顧客	地元の肌ケアに関心のある女性 女性旅行者、都会の敏感肌の女性	○	試作品でトライアル
ニーズ	しっとり潤いのある肌でいたい	◎	インタビュー調査、アンケート調査
商品・価格	酒発酵エキス和紙マスク　1,500円、同化粧水1,200円、同クリーム1,300円	△	試作品製作、インタビュー調査、アンケート調査
ビジネスモデル	自社製造方式と委託生産方式の両方で検討	△	受託会社と折衝、事業収支計算
販売方法	地元の商店、土産物店、ネット通販	△	地元の店や土産物屋に確認、通販サイトに問い合わせ
広告・宣伝方法	地元は口コミ、土産物店は店頭POP、ネット通販は大手通販サイト出店	△	テストユーザーの反応で確認、通販サイトに問い合わせ
競合	京都の福太屋、新潟の大和盛	○	通販で取り寄せ、確認
強み・弱み	江戸時代から続く老舗の酒蔵、名水、和紙	○	テストユーザーの反応で打ち出しを決める
必要投資額	未定	△	事業収支計算実施
3年後の売上	未定	△	同上
3年後の経常利益	未定	△	同上
投資回収年数	未定	△	同上

06 仮説検証と仮説の進化

こまめに仮説を立てて検証しながら進めていきましょう

▼仮説を検証しながら内容を深めていく

インタビューに限ったことではありませんが、調査は、こうではないかと想定している仮説を検証しながら深めていくプロセスです。

「仮説」は、仮に立てる説という意味で、もともとは自然科学の分野で使われていた言葉ですが、最近は広く使われるようになってきました。

「検証」とは、それが正しいかどうか確かめるということです。

仮説を検証しながら深めるということについて、物語に沿って見ていきましょう。碧は、「地元の女性は、田畑や台所仕事をするので、手荒れ、肌荒れが気になっていて、それをケアするために何か化粧品を使っているが、効果や安全性の面で不満・不安を持っているのではないか」という初期仮説（ゼロ次仮説と言います）を持っています。

その仮説をもとに特に中年の女性10名ほどにインタビューします。ある程度の数を行うことで、ターゲットになりうる人の比率がわかります。

インタビューしてみると、「長年同じクリームや化粧水を使っているが、あまり効果がないので、こんなものかなと諦めている。他人も同じだろうと思ってあまり人と化粧品の話まではしていない」「いいものがあれば試してみたいとは思うがなかなか機会がない」等の情報を得たとします。そうすると、あなたには「それなら、『杜氏の手はきれい』の話を引き合いに出して、酒発酵エキスから作ったクリームや化粧水があったら、関心を持ってもらえるのではないか」、という1次仮説が生まれます。

今度は、その仮説をもとに次のインタビューを行います。すると、

「それ、面白いわね。何か試しに使えるサンプルある？　あなたのお店に行けば買えるの？　化粧品屋さんに置いてあるといいわね。ドラッグストアの化粧品コーナーにあってもいいわ」

「地元の土産品コーナーに置いてあれば、女性観光客も買うんじゃない？」

などのように、具体的な施策仮説（2次仮説）が生まれてきます。

新規事業の場合は、このように当初の仮説を検証しながら深めていくことによって、より良い具体的な企画に作り込まれていきます。

図3−08 仮説検証の例

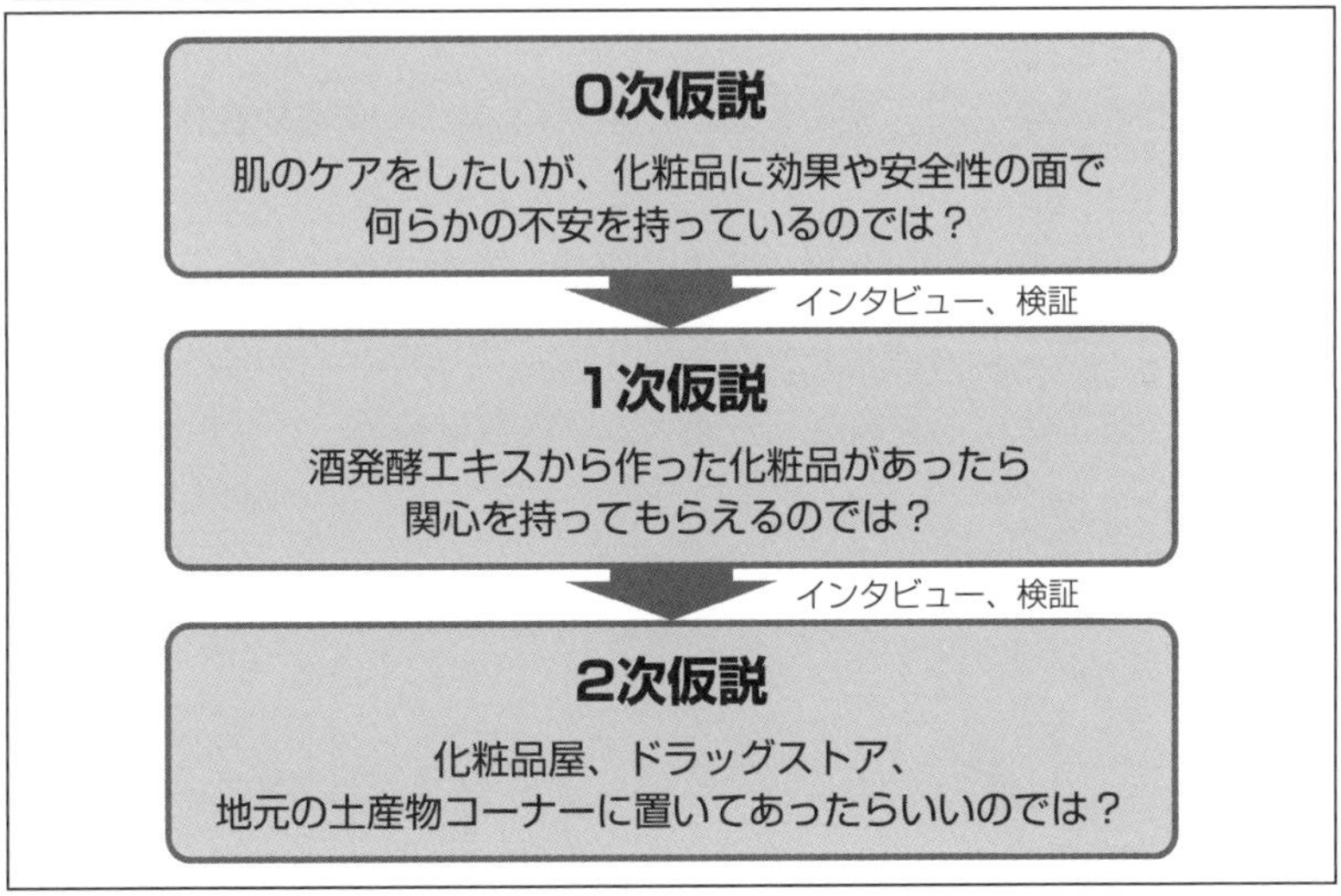
0次仮説
肌のケアをしたいが、化粧品に効果や安全性の面で何らかの不安を持っているのでは？
インタビュー、検証
1次仮説
酒発酵エキスから作った化粧品があったら関心を持ってもらえるのでは？
インタビュー、検証
2次仮説
化粧品屋、ドラッグストア、地元の土産物コーナーに置いてあったらいいのでは？

column リスクと不安心理

人間誰しも、よくわからないことや初めてのことには不安を抱くものです。物語でも、不安心理から、鶴吉さんや母親が心配して、碧の事業アイデアに反対している様子が描かれています。

酒造りならまだしも、化粧品を作って売るんだというようなことを東京から戻ってきたばかりの経験の浅い娘が言い出したら、誰だって「そんなことして大丈夫かな」と思いますよね。小篠が言うように、これは自然なことなのです。

まだ碧ひとりがその気になっているだけで、周りには碧が何をどうしようとしているか何もわかっていません。このことを周りの理解不足としてしまっては先に進めません。

小篠の若い頃の話で、自分がやりたいことを強引に進めようとして失敗した体験が語られています。やはり、いくら自分で引っ張っていくつもりでも、協力者がいないことには事業は成功できませんから、周りの理解が得られるように、協力したいと思えるようにする必要があるわけです。

では、どうしたらいいかというと、商品や事業の中身をもっと具体的にすることです。自分がイメージしていることにどんどんと肉づけをしていって、他の人にも理解ができるような内容にすることです。

STEP 4

ストーリーと型で商品・サービスを磨く

STORY 4 お客様のストーリーを紡ぐ

だから
お客様がその商品を使って
感動するシーンを イメージして
そうなるように
商品を作り込んでいく
その感動のシーンが
ビジョン・ストーリーだ
ビジョンストーリー

STORY 4
お客様のストーリーを紡ぐ
商工会議所
みなさん
ぺこり
今日は集まってくださって ありがとうございます
で 碧は 何を作りたいの？
商工会議所勤務
碧の同級生、鈴音
化粧品よ
昔から「杜氏の手はきれい」って 言うじゃない
お酒には 肌に優しい成分が 含まれているのよ
それを 女性向けの 化粧品として 出したいんです

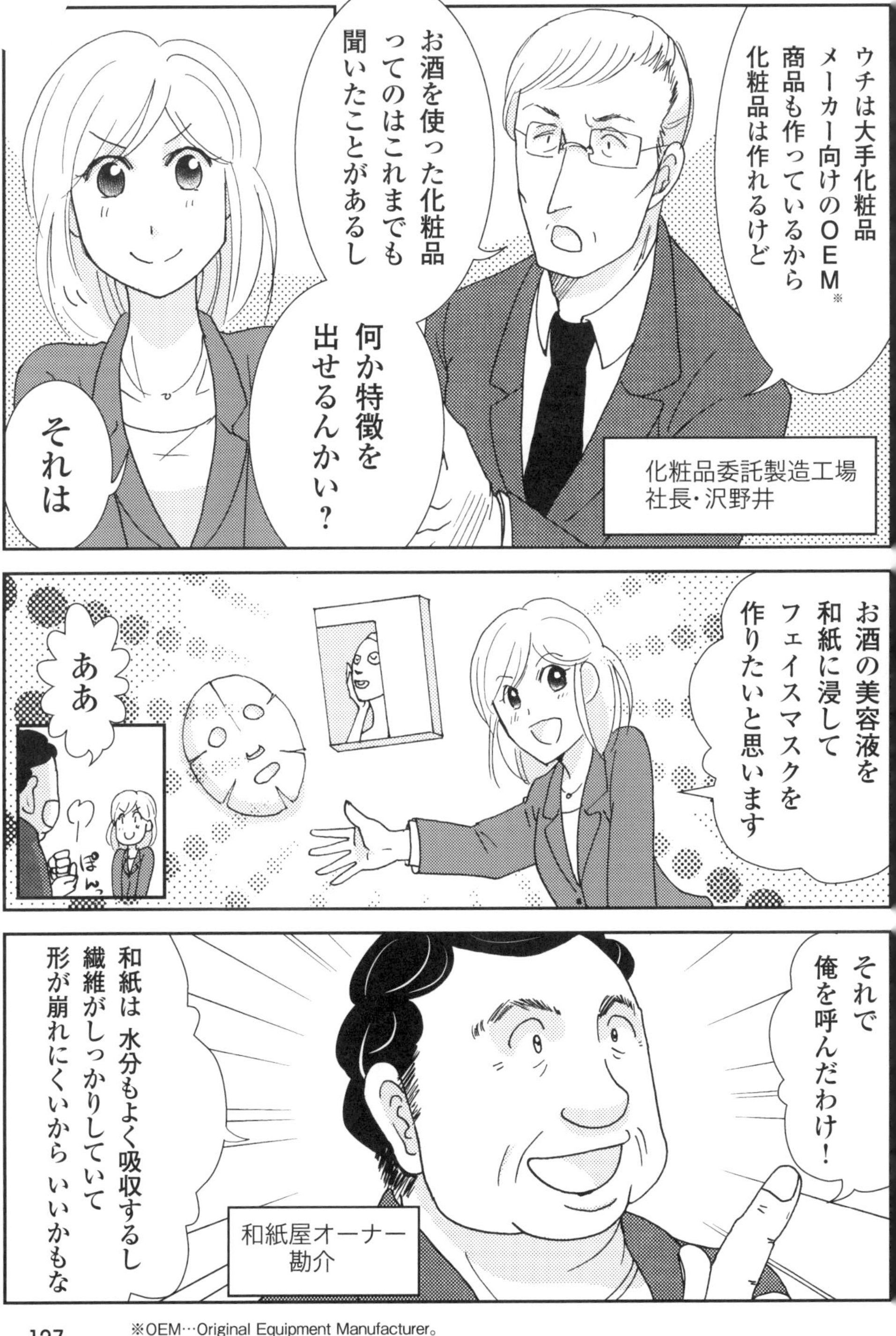
ウチは大手化粧品メーカー向けのOEM※商品も作っているから化粧品は作れるけど
化粧品委託製造工場
社長・沢野井
お酒を使った化粧品ってのはこれまでも聞いたことがあるし
何か特徴を出せるんかい？
それは
お酒の美容液を和紙に浸してフェイスマスクを作りたいと思います
ああ
ぽんっ
それで俺を呼んだわけ！
和紙は 水分もよく吸収するし繊維がしっかりしていて形が崩れにくいから いいかもな
和紙屋オーナー
勘介

※OEM…Original Equipment Manufacturer。
他社ブランドの製品を造ること

和紙は
もともと
この土地の特産物だし
和紙には化学物質が
入っていないから
アレルギー症状も
起きにくいですよね？
たしかに！
わいわい
ではこれはどうですか？
それでは…
なるほど…
これは…
いやいや…
ねえ
製品が出たら 地元の人達に
モニターを依頼したら？
評判が良ければ
土産物センターでも 扱って
もらえるかもよ
おーっ
和紙工

サンプルC
サンプルB
サンプルA
お酒由来の化粧水です
もっと薄い方が顔になじみやすいんじゃないんですか？
サンプルできました！
モニタリングアンケート
お酒の化粧品サンプルセット
いいかんじ！
アンケート結果
これいけそう～！
がんばってね～！
これでだいたい完成ですね！
グッ
ようやく第一段階クリアだな

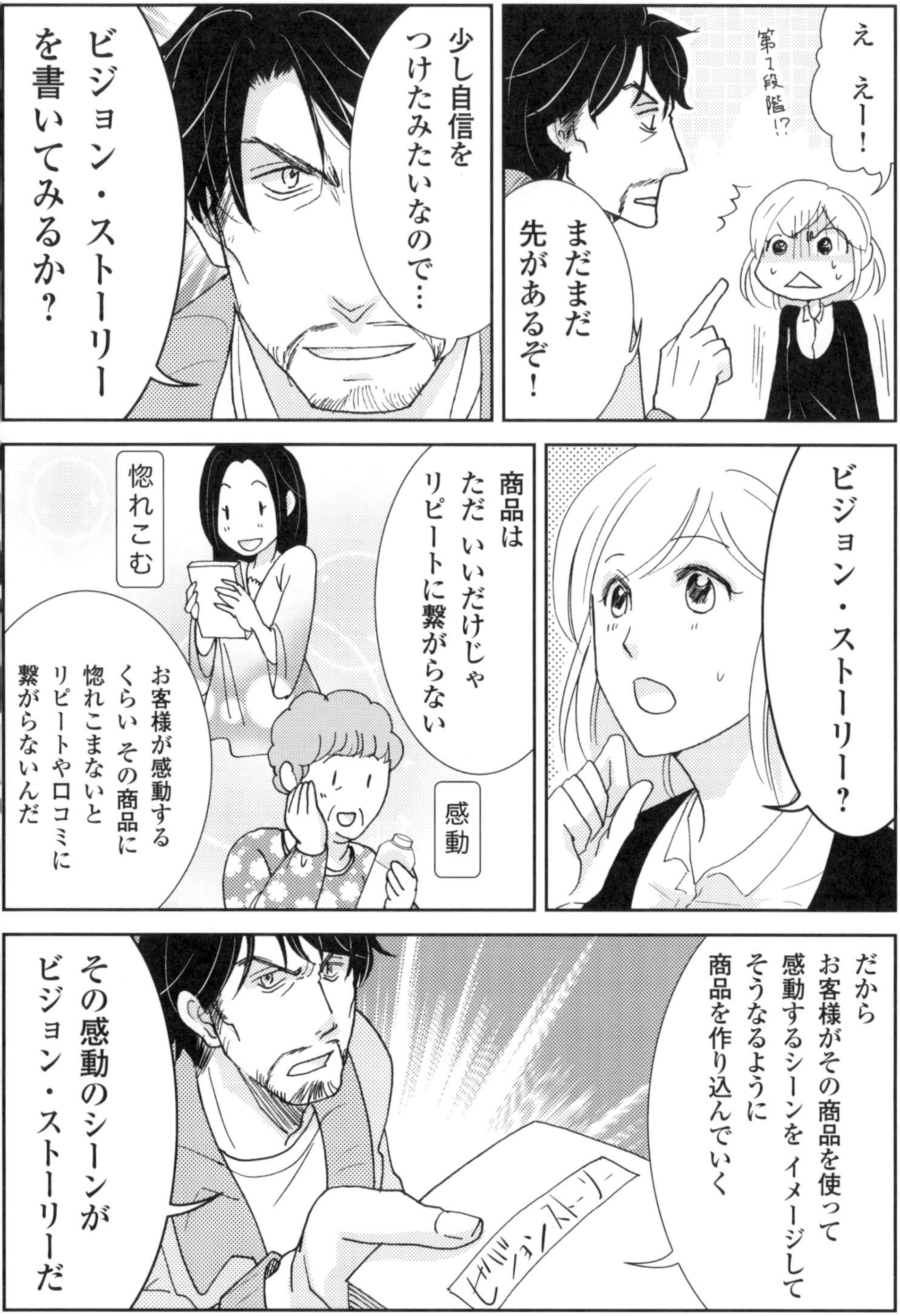
ええー！
第1段階!?
まだまだ先があるぞ！
少し自信をつけたみたいなので…
ビジョン・ストーリーを書いてみるか？
ビジョン・ストーリー？
商品はただ いいだけじゃリピートに繋がらない
惚れこむ
感動
お客様が感動するくらい その商品に惚れこまないとリピートや口コミに繋がらないんだ
だからお客様がその商品を使って感動するシーンを イメージしてそうなるように商品を作り込んでいく
ビジョンストーリー
その感動のシーンがビジョン・ストーリーだ

物語？
？
ペラ
いや
いい話ですね
うるうる
じゃあ
3つくらい顧客と
その利用シーンを
このシートに書き込んで
はい
君が書くんだよ！
へ？
私？
・誰(Who)が
・いつ(When)
・どこで(Where)
・何を(What)
ビジョン・ストーリー
無理無理無理
絶対無理～!!
まあまあ
落ち着け

そこにはお客様
つまり
主人公がいるだろ
そして
そこで設定した場面を
頭のなかで想像するんだ
ビジョン・ストーリー
そうすると
自然にその人達が
その場面のなかでしゃべったり
動き出したりする
そのなかで　君がお客様に
こう感動してもらいたいという
方向に自然に話しを
持っていけばいいんだ
そしてその様子を
ストーリーに描けばいい
もともと人間には
物語を紡ぎ出す
潜在能力が備わっている
後は
ちょっとその扉を
開ければいいのさ
ここに紙があるから
どんっ
どれでもいいから
イメージが
湧きやすいものを
ひとつ書いてみろ
う〜ん

うーーーん…
うーん
やっぱ無理！
わーん！
気分変えよ
和菓子
わ〜
ははは
楽しそう…何話してるのかな…
お菓子のこととか？
ふふふ
はっ
水野愛子 40歳
家族は夫と息子（15歳）と娘（12歳）

変わらないし、ちょうど今使っているのもそろそろ切れてきたので、ひとつ買って試すことにした。

使い始めて１週間、朝起きた時、鏡を覗き込んだ時に、肌の調子が良くなっているのに気づいた。カサカサしていないのだ。「あれっ、これってもしかしたら、あのクリームのせいかしら」と思って、使い続けることにした。

１ヶ月ほど使っていると、中学生の娘から、「お母さん、最近、お肌の話あまりしなくなったね。以前はよく、『最近、カサついちゃって』って言っていたのに」と云われた。「そうなのよ。このお酒のエキスが入っているっていうクリームを試しに使っているんだけどね、調子がいいのよ」と嬉しそうに応える。「へぇ、お酒のエキスが入っているの？

そういえば、最近、ほっぺがつるつるしてきたわね。いいじゃないの。いいけど、お母さん、お酒で酔っぱらわないでね」とからかう。「酔うわけないわよ。飲むんじゃないだから」と笑いながら答える。

そして、クリームが切れた頃に、製造元に問い合わせると、その商品を取り扱っている地元のお店を教えてくれて、近くの行きつけの化粧品店でも扱い始めたことがわかったので、そこで買うことにした。「今度は、クリームと合わせて化粧水も使ってみるかな」とわくわくしながら次のことに想いをめぐらす愛子であった。

感動の場面 その１　地元の女性

水野愛子　40歳

家族は夫と息子（15歳）と娘（12歳）。地元の市役所に勤めている。

最近、市で主催した地元の特産品展にお手伝いで参加したところ、珍しく美容パックや化粧水が展示されていた。「へぇ、うちの地元でもこんなものを作っているところがあるんだ」と思って、手に取ったところ、「製造業者　恵那酒造」と書いてある。「えっ！酒蔵がこんなもの作っているの？」と驚いて、担当の人に尋ねたところ、若い女性が名刺を渡してくれながら、「酒発酵パック」や化粧水の話を説明してくれた。若いのに名刺には「代表取締役」と肩書に書いてある。「へぇ」と思いながら話を聞く。「昔から杜氏の手はきれいだと言いますね。実は、お酒には、お肌にいい成分がいっぱい入っているんです。私も、造り酒屋に生まれて、学生時代によく『お肌がきれいね』と言われていたんですが、実は、このお酒のエキスのおかげだったんですね。そのことに最近気づいて、商品化したんです。私も１年前から使っているんですが、直接つけると、とてもいいですよ」と紹介してくれる。どうやら造り酒屋の跡取り娘らしい。見ると、頬や額の辺りがつやつやしている。笑顔が感じのいい娘だ。

そういえば、最近、毎年冬になると、肌がカサカサして困っていた。手や足は普通のクリームでもいいが、顔の皮膚は敏感なので、大手化粧品メーカーのクリームを使って、肌が荒れたことがあった。「恵那酒造」と言えば、昔からある造り酒屋さんだし、特産品として出しているくらいだから、商品としては大丈夫なんだろうと思っていると、「よかったらお試しください」と言われたので、クリームを少量指に取って、手の甲につけてみる。においも酒臭くはなく、特に違和感は感じなかった。値段を見ると、クリームが1,200円とある。ふだん買う化粧品と値段も

どうですか？
えっへん！
ふむ
地元の女性には
こんなふうに
使ってもらいたいんです
意外に
いいできじゃないか
意外に
これを書いた後、
じつはもう2本書いて
母や妹にも見せたんです！
そしたら　妹が急に
「お姉ちゃん　これいいかも
売れるかもよ！」って
母も
今までと何だか違うんです

そうか 読んだら意見が 変わったか
ゴクゴク
まあ 狙い通りだけど
!?
で？ 鶴吉さんには 見せたか？
鶴吉さん
いいえ…… まだです
そろそろ いいんじゃないか 鶴吉さんに見せても
いじいじ
ええ
うーん…
それじゃあ 今日は
今日はAIDMAと 業務プロセスに 進もう
やれやれ
ムーー
AIDMA
アイドマって 何ですか？
AIDMAというのは Attention（注目） Interest（興味） Desire（欲求） Motive（動機） Action（行動）
この頭文字を取った言葉で お客様が商品を 知ってから 買いたくなって購入に至る プロセスのことを言うんだ
A Attention（注目）
I Interest（興味）
D Desire（欲求）
M Motive（動機）
A Action（行動）

君が書いた ビジョン・ストーリー あるだろ
あの中に AIDMAの要素が 入っているはずだ 見てごらん
例えば 水野さんは どこでこの商品に 注目したのかね
水野さん
特産品展です
じゃあ 興味を持ったのは？
酒発酵パックの 説明を聞いたからです
欲しくなったのは？
試しに塗って 違和感がなかった からです
買いたいと 思ったのは？
千円
そんなに高くない！
値段を聞いて そんなに高くないと 感じたからと そろそろ今使っているのが 切れそうだったからです
じゃあ 最後の行動は？
直売なので その場で 買ったことです
だろ
それが AIDMAプロセスさ

なるほど…
これくらいなら
わかるわ！
ほっ
商品を売るときには
お客様がこのAIDMA
プロセスをスムーズにたどれる
ように商品提供する必要があるんだ
じゃあ
地元のお客様の場合
いちいち特産展で
私が説明しないと
売れないってこと？
そうと決まった
わけじゃない
例えば　この商品を試して使った
お客様が　とても良かったと言って
知り合いに勧めるとか
地元の人でも
いろいろなAIDMAプロセスが
ありうるんじゃないのか？
いろいろな
AIDMAを想定
すればいいんですね
AIDMA
そう　そして
そのお客様のAIDMAに
合わせて業務プロセスを
作りこむんだ

ええっ？業務プロセス…
業務プロセスは原材料を仕入れるところから
商品を作って包装して出荷し 陳列 販売
代金回収までのプロセスを検討するんだ
代金回収
ここにその絵を描いてみよう
ピシッ
まず どこから何を仕入れる？
勘介さんのところから和紙を 包材メーカーから箱や袋を仕入れます
箱詰めは自分ところでやるのか？
あっ そうだった 沢野井さんに頼むんだった

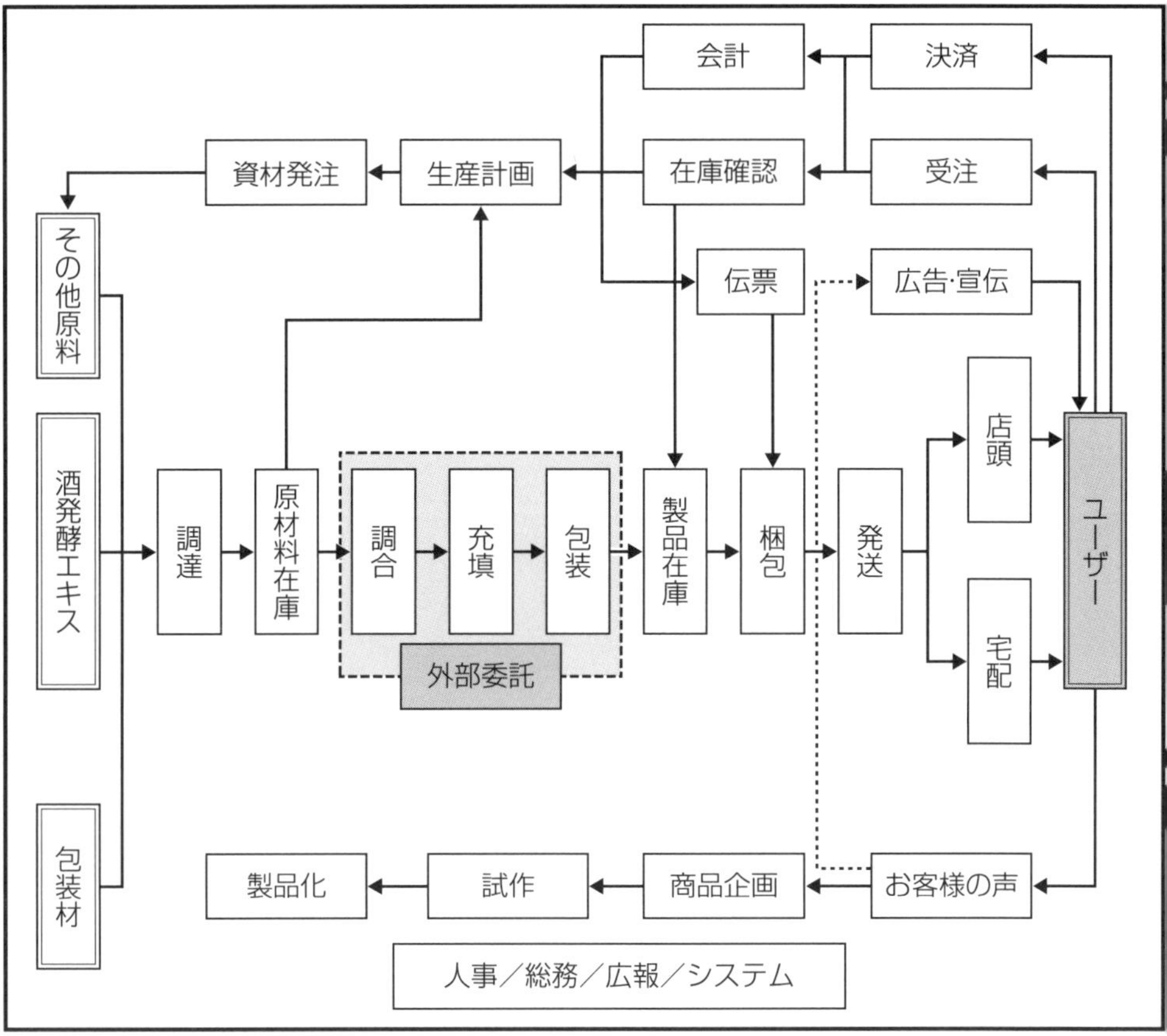
会計
決済
資材発注
生産計画
在庫確認
受注
その他原料
伝票
広告·宣伝
店頭
酒発酵エキス
調達
原材料在庫
調合
充填
包装
製品在庫
梱包
発送
ユーザー
外部委託
宅配
包装材
製品化
試作
商品企画
お客様の声
人事／総務／広報／システム

ふう
できたー！
こうして見ると
君が自分でやったり
人に頼んだりしなきゃ
いけないことが
見えてくるだろう？
本当ですね
わぁ
たくさん…
はわわ～
ズー

01 ビジョン・ストーリーを作る

左脳だけでなく右脳に働きかけることも大切です！

▼感情とイメージで人は動く

よく「人は理屈では動かない」と言います。

例えば、夏休みの宿題は先に済ませておいた方が休みの間ゆっくり遊べます。誰だってそのことは頭ではわかっているはずですが、やはり遊びたい気持ちが先だって、ついつい後回しにして、「そろそろやらないと間に合わない」頃になって焦って取り組む子供が多いでしょう。今も昔も変わらぬ光景です。

では、理屈ではわかっているのに、なぜそうしないのでしょう?

それは、理屈よりも感情の方が強いからです。

普通の人は理屈よりも感情に流されます。ですから、新商品・サービスは、理屈に訴えるよりも、感情に訴えることができた方が売れるのです。

もうひとつ重要なのがイメージです。

私達は、自分でイメージが湧くと「あっ、わかった」という気持ちになります。他人から何か頼まれた時でも、すべきことや自分が行動したり、動作するイメージが湧いたりすると、頼まれたことがわかった感じがして、行動に移せます。それに対して、何か頼まれても、何をどうしたらいいかイメージが浮かばないと、一向に動く気になれません。

ですから、相手に感情が湧き起こってきたり、具体的なイメージが伝わったりすると共感・共鳴してアクションを取ってもらうことができます。それは、お客様も、事業の協力者も同じです。

従来型のコンセプトや理屈、数字中心の事業計画書では、なかなか相手を動かすことができません。実現したいイメージや、感覚・感情が伝わって初めて相手に購入行動や、事業に協力する行動や、投資や融資の行動が湧き起こるのです。

では、どのようにしたらイメージや感情が伝わるのでしょうか？

それを可能にするのが、ストーリーです。小説や映画、マンガはみなストーリーですね。あなたは、そうしたストーリーを読んだり、見たりして感動してきませんでしたか？

この物語では、STEP7で碧が集まってもらった町の人たちに自分のやりたいことを語る場面がありますが、そこでは、碧が実現したいことをストーリーにして伝えています。事業計画書も全体としてストーリーになっている必要があるのです。

ストーリーには、時間軸で言うと、過去の話、現在の話、未来の話と3種類があります。碧は主に未来の話を語っていますが、もうひとつ、未来の話の形態に「ビジョン・ストーリー」というものがあります。それは、まだ実現していない将来を想像して、こんなふうにお客様に喜んでもらいたいとか、こんなふうに従業員にやりがいを感じてもらいたいということをストーリーの形で表現するものです。

「ビジョン・ストーリー」のもともとの考案者は石川正樹氏ですが、本格的に取り組むと手順が複雑になるので、ここでは初めての読者にも取り組みやすいように、要点を押さえた簡便な方法を紹介しています。事例を見てもらうのが早道でしょうから、碧が作った残りの2作を事例として紹介します。お客様が喜んでくれる「感動の場面」を描いています。「ビジョン・ストーリー」は通常、場面を変えて3種類くらい作るといいでしょう。

「どうぞ、お試しください」

　勧められたので、化粧水を少量手に取って、腕に塗ってみる。変なにおいはなく、割と肌に馴染む感じがした。友人達も試している。

「あら、いいじゃない、これ。私、買ってみようかしら」

　と裕子が言う。久子は、肌が敏感な方で、なるべく化粧はしないようにしていたが、年齢のせいか、最近、肌荒れが気になるようになっていた。値段を見ると、割と手頃な値段である。試しに、化粧水とフェイスマスクを買ってみることにした。すると篤子が、

「ねぇ、今晩、温泉入った後、このフェイスマスクみんなでやってみようかしら」とはやし立てる。「面白そうね。おいしい料理食べて、温泉入って、お肌ケアして、フルコースね。やろやろ」

　と裕子が言う。3人は妙にわくわくして来て、みんなでフェイスマスクやら、クリームやらを買い込んだ。

「あら、ウチにお土産も買って行かないと、怒られちゃうわ」と久子のひと言で、我に返って、地元の名産品も合わせて買った3人であった。

　その夜、温泉に入った後、3人で顔パックして、おふざけで携帯電話で記念写真を撮り、わいわいとはしゃいだのである。以来、久子は、ここの化粧水とフェイスマスクの効果に取りつかれ、酒蔵が開いているネットの通販サイトから定期購入するようになった。

感動の場面2　観光客

若尾　久子　50歳

２人の子供も就職し、自由時間が取れるようになったので、休日に、学生時代からの親しい女友達２人と一緒に観光に来た。昔の宿場町を散策した後、温泉に入って一泊する予定である。街の中に明治の文豪の生家を改築した記念館があるというので、それを見学して、昔読んだ小説を思い出した後、宿場町を再現した街並みをぶらぶらと歩いていて、大きな看板を掲げたお土産屋さん入ってみた。

いろいろと地元の名産品が並んでいる。「やっぱりこういうところだから、田舎の漬物とかお菓子ばっかりかしら」と独り言を言いながら見回していると、「大人気！酒発酵エキスシリーズ　女性誌でも紹介！」と目立つポップがあった。「へぇ、何だろう」と思って見てみると、フェイスマスクや化粧水、クリームが売られている。立ち止まって見ていると、

「お客様、これ、今、女性に大人気なんです！」と店員と思しき中高年の女性が元気な声で話かけてくる。

きょとんとして聞いていると、

「これ、最近売り出されたばかりのお酒の発酵エキスでできたスキンケア製品なんです。江戸時代から続く地元の酒蔵が開発して売り出してまして、この間、女性誌『美しい女性』にも取り上げられたんですよ。使っていると、発酵でできたアミノ酸の効果で、お肌がすべすべぷるぷるになるんです。特に敏感肌の方にいいようですよ。私も半年前から使っていますけど、ほら、とっても調子がいいんです」

と顔を指さしている。見ると、化粧っ気はないが、つやつやした肌が、店の電燈の光を受けて輝いている。

「最近、仕事がきついせいもあって、お肌の調子がいまひとつで、ちょっと人前は自信がないのよ」と口にした。そして、もともと敏感肌なこと、敏感肌用の化粧品を使っていること、それでも忙しい時は肌の調子が悪く、化粧の乗りが悪いことなど不安な胸の内を打ち明けた。

それを聞いた弘子は、

「ああ、それなら、これ試してみない？」

とピンクの化粧ポーチから化粧水のミニボトルを取り出した。

「これさぁ、この間、雑誌にのっていたやつ。なんかお酒の発酵エキスでできているらしいんだけど、『杜氏の手はきれい』って言われるように、お酒を造る時にお肌にいいものができるらしいのよ。私も結婚することになったから、お肌の調子を整えとかなくちゃと思って、買ったのよ。そしたら、調子良くてさ。大正解！ほらっ」

といって頬を向けてくる。そういえば、昔ニキビ肌だった弘子のほっぺがつるつるして、きれいだ。

弘子に勧められるままに、化粧水を手に取って、右の耳の下に塗ってみた。

「うん、特に変な感じはしないわね」

と応える照子に「いいわよ。これ」とお勧めモードの弘子である。

ペアで司会をやる弘子のフィアンセの男性の友人を紹介してもらうことを条件に司会を引き受けた照子は、自宅に戻ってから、さっそくその化粧品をネットで検索して、利用者からの感謝の声を確認した上で、即効性がありそうなフェイスマスクと化粧水を１セット注文した。

そして、半年後の弘子の結婚式では、肌に自信を持った晴れやかな笑顔で司会をしている照子であった。

感動の場面3　ネット注文顧客

藤原　照子　35歳　独身

照子は都内の印刷会社の本社に勤務しているOL。残業が多く、疲れがたまっている。

久しぶりに高校時代の同級生の弘子からメールがあって、週末に2人で銀座でランチをすることになった。

そして当日。お店の場所を地図ソフトで検索し、11時45分の待ち合わせに行ってみると、弘子は、先に来ていた。「お待たせ」という照子に、「久しぶり。元気？」と明るい声で、声をかけてくる弘子であった。

イタリアンの店なので、人気メニューのトマトスープスパゲティを注文した。

「お昼だけど、300円でワインつきだからワインも頼んじゃおうか」という弘子の誘いに乗って、好きなワインを注文した。

すると、弘子から、

「私、この間、プロポーズされちゃってさぁ、今度、結婚することにしたの！」

と嬉しそうな顔。

「あら、おめでとう！　で、お相手は誰なの？」

「会社の先輩。仕事で付き合いがあって、それがきっかけで」

とどんどん弘子の話が進んでいく。

そのうち、料理とワインが来たので、2人の婚約を祝して、乾杯した。

弘子からは、結婚式の司会をやってもらいたいと頼まれた。

「だって、照子、話うまいじゃない」

そう言われると断りにくい照子であったが、少し気になっていることがあった。

02 ペルソナを作る

▼ペルソナとは？

ペルソナとは、マーケティング時に設定する人物像のことで、ラテン語の「仮面」に由来します。

過去のマーケティング手法では、先に述べた年齢層等の属性の平均値を取ったターゲット設定をしていたために、顧客の具体的な生活シーンを想定しての商品設計や使い方のイメージが湧きにくいという弱点がありました。

なぜなら世の中には、実際には、平均値的な人はあまりおらず、それぞれの人が個性を持っているからです。

例えば、「○○大学生」といっても、実際には、これぞまさに「○○大学生」という人はいません。同様に「20代の働く女性」とひと口に言っても、収入も職種も趣味も嗜好もさまざまで、これぞ、という人物像は絞り込めません。

そこで、属性の平均値ではなく、もっと具体的に性別、年齢、職業、家族構成、住所、心理特性、行動パターンなどを実在人物に近い形に設定して、購買シーンや利用シーン、再購買にいたるプロセスをイメージできるようにしたのが「ペルソナ」の考え方です。

実際に商品やサービスの開発に当たって、アサヒビールやカルビー、ヤマサなど、食品メーカーをはじめ、住宅メーカーなどさまざまな企業がこの手法を取り入れています。

▼ペルソナ設定の仕方

ここでは、ターゲットとなる顧客層の中から1人の人物像をイメージして、ペルソナ設定するようにします。

ここまで詳しく設定すると、本当にいそうね！

物語の碧の例では、東京に住む45歳の女性で、夫と子供2人がいて、世帯収入は1000万円で、趣味は旅行としています。ご主人は、東京に本社があるメーカーの部長クラスでしょうか。海外出張・海外勤務経験もあるかもしれません。そして、ときどき楽しむ晩酌のお酒にはうるさいかもしれません。お子さんは、大学生の長女と高校生の長男といったところでしょうか？　娘がおしゃれしているのを見ると、お母さんは自分が若かった頃を思い出します。子供が大きくなったので、学生時代の仲のいい友達と旅行にも行けるようになったのでしょう。友達とは気軽にランチをしているようです。そんな時には、化粧品をはじめいろいろな話題が出ます。

こんな具合に、ペルソナのイメージを膨らませます。ペルソナは、「ビジョン・ストーリー」に登場する人物でも構いませんが、広がりを持たせるために、いくつかの人物像を想定してみましょう。

図4-01 ペルソナと購入プロセス（※購入プロセスについては150頁〜を参照。）

ペルソナ設定						
年齢	性別	住所	家族構成	職業	年収	趣味
45歳	女性	東京都	夫、子供2人	主婦	1,000万円	旅行

購入プロセス	
Attention	年齢からか冬場のカサカサ肌に悩んでいた時、友達が「これ使ってみたら？」と酒発酵エキス化粧水を勧められた
Interest	「へぇ、お酒造りのプロセスでできるものなのか」と感心し、少量もらって手の甲につけてみたところ、自宅に戻ってからもいい感じだったので、ひょっとして、これはいいかもと思った
Desire	ネットで検索すると、すぐに出てきて、利用者の声がたくさん載っていて、みな、「お肌がすべすべになった」「かさかさが治った」等と書いている。
Motive	お試しセット1,000円があったので、ダメでも惜しくないやと注文することにした。
Action	クレジットカードでも購入できるようになっているので、リピート購入のことを考え、名前と住所を登録して、会員になっておいた。

03 お客様が利用するプロセスを描く

▼購入のプロセスAIDMAとは

次は、ペルソナ設定したお客様が商品を購入するプロセスを考えてみましょう。一般的には、商品に注目（Attention）することから始まり、その商品に興味（Interest）を持ち、欲しいな(Desire)と思って、よし買おうと思って(Motive)、「これください。」と注文します（Action)。

このプロセスは、それぞれの単語の頭文字を取って、AIDMAプロセスと呼びます。

事業計画には、ターゲット顧客がこのプロセスを登ってこられるように、いろいろな仕掛けが組み込まれている必要があります。

「ビジョン・ストーリー」には、通常AIDMAプロセスが埋め込まれているので、AIDMAプロセスを具体化することにも役立つのですね。

例えば、Attentionの段階では、お客様に商品・サービスの存在を知ってもらう必要があります。このため、広告・宣伝を打ったり、チラシを入れたり、目につきやすいところにお店を出したり、営業訪問したり、といったことをする必要があるわけです

Interestの段階では、商品・サービスの特徴や良さをわかってもらう必要があります。安い、健康に良い、楽しい、共感できる等、商品・サービスの特性に合わせて、なるべく短時間で、直感的にわかるように訴求できる必要があります。

Desireの段階では、お客様が自分が使うことをイメージして、自分や家族が喜ぶ顔が浮かべられて、ああそれが欲しい、買いたいと思えるように誘導する必要があります。

実際に買うまでは5つの段階に分けられます

Motiveの段階では、「今購入すべき」と感じさせることがポイントです。今買ったら、すぐに使える、今困っていることにすぐに役立つ等、購入動機を引き起こせるかどうかが重要になります。

Actionの段階では、すぐに買える、購入手続きが取れる、すぐに決められる、会社の審査を通せる、予算以内等、購買行動につなげられることが重要です。

これらのステップをすべてクリアして、初めてお客様は商品・サービスを購入してくれるわけですから、事業計画の中にそのプロセスがクリアできるようなプランが盛り込まれている必要があります。AIDMAプロセスは、顧客層によって、シチュエーションによって変わってきます。実際には、いろいろケースを想定しておいた方がいいでしょう。

図4−02 AIDMAプロセス

	認知段階	感情段階			行動段階
プロセス	Attention（注目）	Interest（興味）	Desire（欲求）	Motive※（動機）	Action（行動）
顧客の状態	知らない	知っているが興味はない	興味はあるが欲しいと思っていない	欲しいと思うが動機がない	動機はあるが買う機会がない
コミュニケーション目標	認知度向上	商品・サービスに対する評価向上	ニーズ喚起	購入動機の喚起・提供	購入機会提供
ビジョンストーリーでの例	友人・弘子の出した化粧品のミニボトルに注目（146頁）	弘子の説明に関心を持つ（146頁）	弘子のものを試し塗りして違和感がなかった（146頁）	司会を引き受けたので、早く肌の手入れをしたい（146頁）	HPの感謝の声を読んで注文ボタンを押す（146頁）

※「M」はMemory（記憶）とする説もあります。

04 働く人の業務プロセスを描く

▼ＡＩＤＭＡプロセスに沿って描くのがポイント

商品・サービスを提供する側は、先のＡＩＤＭＡプロセスに合うように自社の業務を組み立てる必要があります。例えば、お客様が興味を持った時に情報提供できるとか、買いたいなと思った時に購入できる等です。こうした自社の業務の流れを業務プロセスと言います。

左下の図は、物語で碧の描いた業務プロセス図です。お客様（ユーザー）がいて、店頭で購入されるケースと、ネット等の注文を受けて宅配するケースの2つのケースがあります。そのお客様には、広告宣伝等によって商品の存在を知ってもらいます。お客様に発送するまでの原材料の調達、在庫保管、調合、充填、包装、製品在庫、梱包までのプロセスがあります。購入したお客様には、その場で代金を払ってもらう方法と、宅配後、振込等の決済をする流れがあります。お客様からいただいた「声」は、商品改良や新商品開発に役立てます。商品の販売状況を見ながら生産計画を組み、原材料、資材の発注につなげます。いただいたお金は会計で集計処理し、毎月収支を見ていきます。

これを作ってみて、碧もふだんの業務で自分がやるべきことがたくさんあること、他人に頼む業務が何かもわかってきました。業務プロセス図を書く効果はこんなところにもあります。

この図は、事業全体の業務プロセス図を示していますが、通常は、さらにブレークダウンして、①営業・販売系の業務プロセス、②仕入・調達系の業務プロセス、③経理・会計系の業務プロセス、そしてメーカーであれば、④生産系のプロセスを

書いてはじめて業務の多さに気づきます！

作ることになります。

業務プロセス図の書き方はそれほど難しくありません。まず業務の要素を洗い出し、それを矢印等でつないでいきます。ポイントは、扱う業務の粗さを揃えておくことで、最初から詳細なものを作ろうとするとうまく行きません。最初は大雑把なものから始めて、だんだんと細かく、具体的なものに落とし込んでいくのです。

業務で情報システムを使う場合は、ここで描いた業務プロセスがうまく進むように情報システムを構築する必要があります。小さなビジネスの場合は、パソコン1台で、エクセルなどの表計算ソフトを使って行う場合もあるでしょう。また、中には、通信販売のパッケージソフトを使って、それに業務を合わせなければならない場合もあるかもしれません。ただ、大切なのは、お客様のAIDMAプロセスを阻害するような業務プロセスにしては本末転倒だということです。つまり、業務プロセスに合わせてAIDMAプロセスを考えて、それでお客様に購入してもらえないようなことがあれば、元も子もないということです。

図4－03 業務プロセスの例

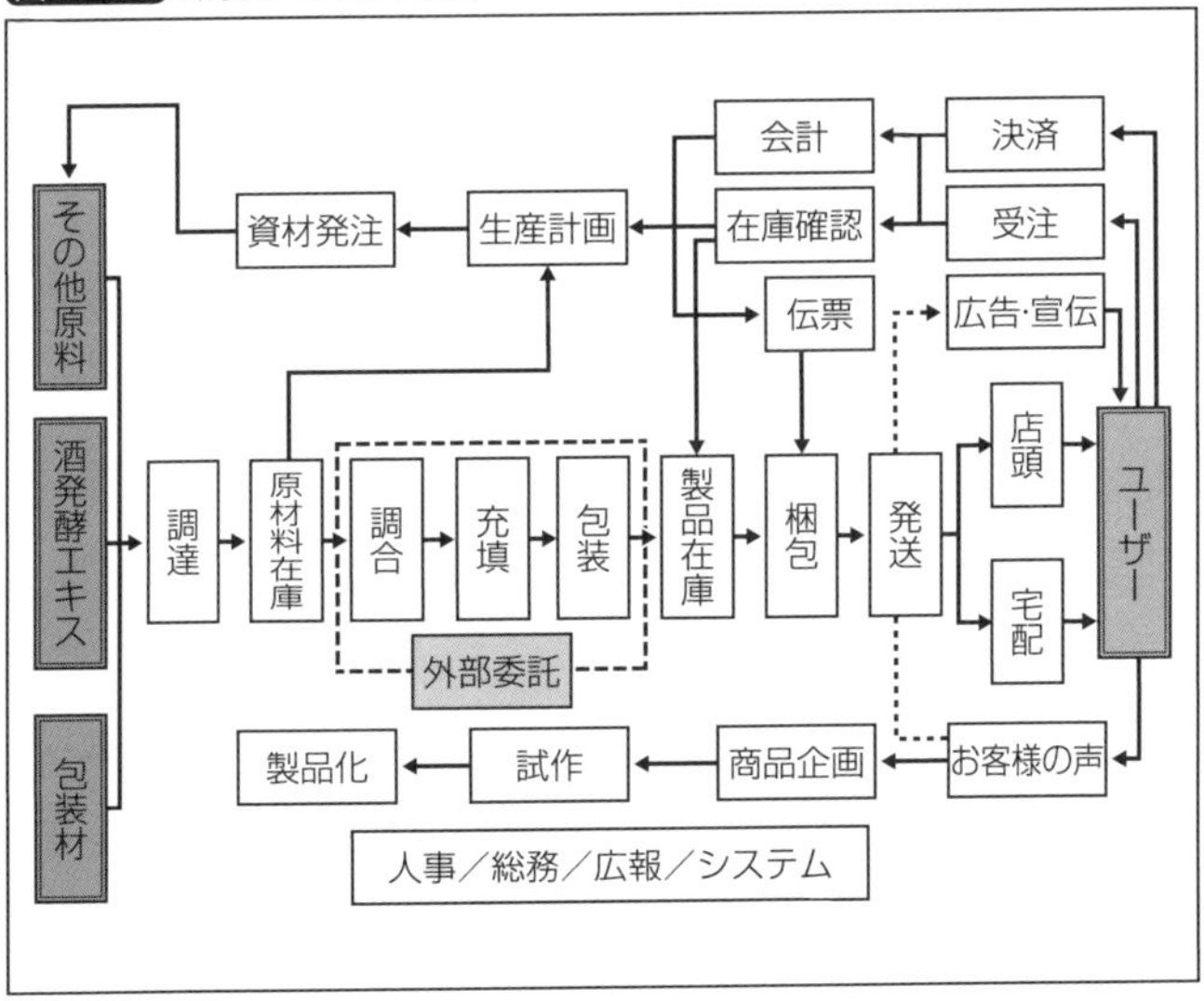

column 会社に新規事業の必然性を説明する時の観点

会社に新規事業を提案する際は、自社がその新規事業に取り組む必然性をアピールしなければなりません。この必然性は、3つの観点から訴えます。

(1) 企業理念・経営ビジョンとの整合性

自社グループの企業理念・経営ビジョンを引き合いに出し、それらとの整合性を確認します。例えば、自社がお客様に喜びや安らぎを提供するサービスビジネスをしていたとして、ペット関連事業を提案するとしたら、「このペット事業は、お客様に喜びや安らぎの提供をする当社の企業理念に合致します」というような形で訴えます。

(2) 活かせる経営資源とその優位性

自社グループの経営資源をどのように活かせるか、それを活用することで、対競合上どのような優位性を発揮できるかを説明します。例えば、(1) と同じペット事業で言えば、「当社が持っている顧客資産は、他社の追従を許さず、当社グループの名前を冠した事業であれば、知名度観点からも絶対的に有利と考えます」というような表現を使います。

(3) 自社グループの成長にもたらされるもの

自社グループが目指している成長の方向性と合致していること、またその方向性を推進または補足するものであることを示します。例えば、同じくペット事業で言えば、「ペット事業を行うことにより、今まで当社グループと接点の少なかったお客様にまで客層が広がり、より一層裾野を広げていくことができるものと考えます」というような訴求をします。

これら3つの要素は、どれかひとつに限定しなくても問題ありません。複数の要素を組み合わせて訴求することでさらに強いメッセージを伝えることができます。

STEP 5

売れの道筋を作る

STORY 5 マーケティングプランを組み立てよう

だったら
上乗せすればするほど
儲かるってこと
ですよね？
原価

はい
それじゃ
月曜日を楽しみにしています
STORY 5
マーケティングプランを組み立てよう
月曜日 試作品到着
最終試作品到着は月曜日っと
業務プロセスシー
にま〜
化粧品アンケート
ふふっ これって案外すごいことになるかも……
きゃー
ずず…
……

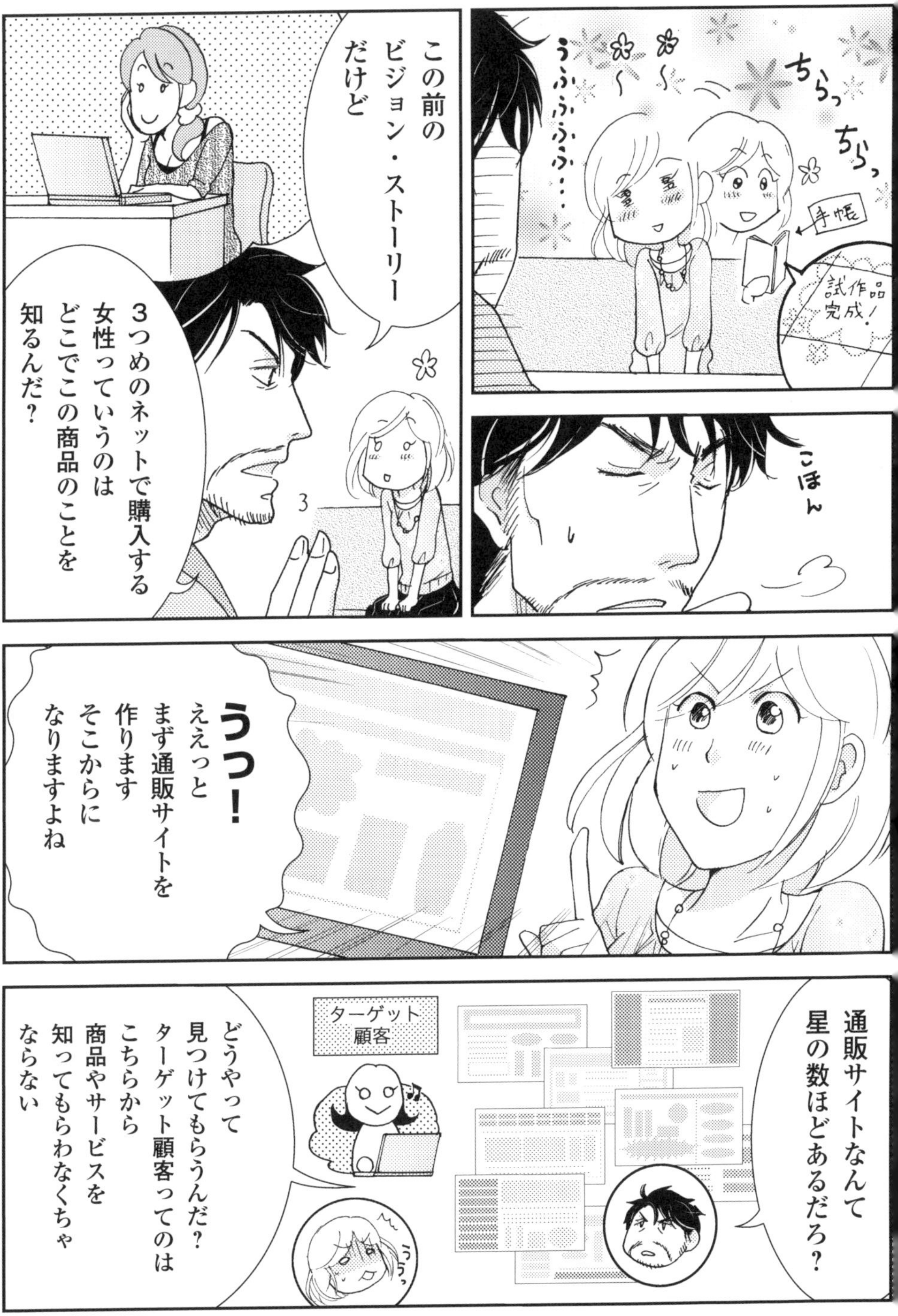
うふふふふ・・・
ちらっ
ちらっ
手帳
試作品完成！
この前のビジョン・ストーリーだけど
3つめのネットで購入する女性っていうのはどこでこの商品のことを知るんだ？
こほん
うっ！
ええっと まず通販サイトを作ります そこからになりますよね
通販サイトなんて星の数ほどあるだろ？
ターゲット顧客
どうやって見つけてもらうんだ？ ターゲット顧客ってのはこちらから商品やサービスを知ってもらわなくちゃならない

どうしよう……
ズーン
まあ何度も書いてみるんだな
行ったり来たりしていると部分と全体の整合性が取れて来るってもんだ
はい…
ぽん
さあてと
ここからが今日の本題だ
今日のテーマはマーケティングの4Pだ
マーケティングの4P
それなら知ってますよ！
ふふっ
4つのPとは商品（Product）価格（Price）プロモーション（Promotion）チャネル（Place）ですよね！
商品・Product
価格・Price
プロモーション・Promotion
チャネル・Place
4つの4P

たまには
やるじゃないか
ぱあっ
うふふふ
じゃあ
今回の事業に
当てはめて
説明して
もらおうか?
まず 最初のP
商品は今回の
酒発酵エキスを使った
和紙のフェイスマスク
そ・そんなの簡単ですよ!
商品
Product
それから
化粧水やクリーム
ですよね
次は価格… 価格っと…
価格
Price
価格…
決めてないのか?
びくっ
いくらで
売るのか?
プロモーションは?
チャネルは?
………
しょぼーん
ふう
これはひとつずつ
説明したほうが
よさそうだな…

商品・サービスを販売する時は4Pで中身を具体化しておく
4P
●商品: Product
●価格: Price
●プロモーション: Promotion
●チャネル: Place
マーケティング・ミックス
この4Pをマーケティング・ミックスと言う
4Pの中で一番重要なのは何だ?
商品: Product
商品…ですね?
よろしい
商品・サービスのポイントは3つある
●商品・サービスのポイント●
お客様のニーズを満たせるものであること
いい商品って言ったってお客様に評価してもらえないんじゃ商品としての価値はないな
他の商品と違いがあること
他の酒蔵がやってる似たようなものもあるだろ?うちのは「ここが違う」「ここがいい!」って、はっきり言えなくちゃならない
商品ラインナップ
化粧品は、人によって使い方や好みが違う
例えば君のお母さんはフェイスマスクを使うかい?
い〜〜ん
母
となると化粧水やクリームも揃えたほうがいいですね

うむ
ふむ
体験してもらうにはある程度ラインナップで揃えておいた方がいいことになる
メモメモ
さて
Product
Price
Promotion
Place
あとは残りの3つのPだ
それじゃ最初は価格その決め方にはいろいろあるが
基本は2つ
Price/価格
①お客様が認める価値に応じて決める方法
お客様が価値を認めてくれたら高く売ってもいいが
認めてくれなければ、いくら低くしても売れない
②原価上乗せ方式
1個当たりの製造原価より高く売り値を設定すること。
原価よりも安く売っていては、赤字になって
続けられない
ほう
ほう
だったら上乗せすればするほど儲かるってことですよね？
¥
¥
¥
¥
原価
その通りだが商品やサービスの価値より価格が上回ったら当然売れない
だから価格は原価よりも高くてお客様が認める価値以下でなきゃいけないんだ
あう…
ごもっともです。

もし
お客様が認める価値が
原価より低かったら
どうする？
原価
価値より原価が高い
価値
客
価値
下げる
上げる
原価
客
お客様が認める価値を
上げるか
原価を下げるかの
どちらかですね
次は
チャネルだな
これには
間接チャネルと
直接チャネルの
２つがある
地元の土産品店や特産品売り場もこっちだ！
間接チャネル
卸などの流通チャネルを使ったルート
直接チャネル
テレビ通販や、インターネット通販
酒蔵での店頭販売、カタログ通販
最後がプロモーション
広告宣伝だ
お客様にこういう商品が
あることを
どうやって知ってもらう？
Promotion
土産物屋さんに置いて
もらうとか
商品紹介のパンフレットを
作るとか
お酒由来の化粧品
おみやげ
お酒の化粧品あります。

そうだな
Attention（注目）
Interest（興味）
とやって
こっちの土俵に引っ張って
こなきゃいけない
新発売 オススメ
お酒の化粧品
お肌にとっても優しい化粧品できました！肌あれに悩む全ての人にオススメします！
そのためには
商品といっしょに
POPも必要だ
それと
例えば土産物屋に置いておいて
そのまま売れると思うか？
ビジョン・ストーリーのところで書いたように商品の説明が必要ですよね
となると販売員？
土産物屋の店員にきちんと説明できるのか？
どうぞ〜
わーい
みやげ
じゃあ試供品をあげて使ってもらうとか！
使った結果が良ければこちらの商品を勧めてくれるだろ？
うむ
試供品
そうですね
メモ
メモ
じゃあ試供品をあげちゃおっと
あっ それなら
売り場にテスターも置いてと

じゃあ ネット販売はどうする？
とりあえず ホームページを 作ろうかと
ホームページを作って 誰が見に来てくれる？
キーワード検索か 何かで
どんなキーワードだ？
お酒　フェイスマスク
検索
「お酒」「フェイスマスク」とか……
そんな組み合わせで わざわざ検索 しないだろう？
ふつう 化粧品について どうやって情報収集 する？
うーん
雑誌とか コスメサイト でしょうか
コスメランキング
じゃあ 雑誌に載せて もらうのはどうだ？
酒蔵発の化粧品
お肌に優しい化粧品です！
えっ！ 広告出すんですか？
馬鹿だな 取材して もらうんだよ
ポイス
あ…… ですよねー
えへへ…

ははぁ
ただで宣伝してもらうんですね！
なるほどーっ！
今週のこれイイネ！
恵那酒造「お酒の化粧品」
それを見て検索してここのホームページにたどり着いたとする
そこにどんなことが書いてあるといい？
商品の説明とか体験者の声とか？
商品のご説明
『お酒の化粧品』
体験者の声
むー
……
わかった！地元の人の声を載せさせてもらえればいいんですね
地元の人達
その通り！
広告宣伝っていうのはこうやって　お客様目線で発想してAIDMAプロセスにうまくはまってもらうように仕込んでいくんだ
お客様目線
注目
興味
欲求
動機
行動
なぜ買いたくなった？
体験者の声を見て使ってみたくなった
商品を知るには？
どうやって？
店でPOPを見た
ホームページを見る
雑誌で記事を見たから
AIDMA
わかりました！

きゅっ…
ふうっ
なんとか
4Pができた!!
ここまで来たら
ひょっとして
ものすごく
うまく行くんじゃない?
もしかして
すっごく
うまく行って…
儲かっちゃったりして…
……ってことだ
1週間後までに
ズーン
ぱちん
へっ?

今、なんと？
警戒っ
びくびく
だからプレゼントだ
きゅ
急に何ですか？
ぽんっ
？
フラッシュメモリー？
もうそろそろいいかな
ここにはとっておきのファイルが入っている
事業収支計画シートだ
これまで考えてきたことをもとに埋められるところを埋めてみろ
期限は1週間
ジギョウシュウシケイカクシート？？？？
ひーっ!?
私、数字苦手…!!

01 具体的な商品やサービスを揃える

▼マーケティングの4Pとは

マーケティングでは、4つのPをマーケティングミックスと呼び、重要な要素として扱っています。4つのPとは、Product（商品・サービス）、Price（価格）、Place（チャネル）、Promotion（広告・宣伝）、を指しています。

Product（商品・サービス）には、3つのポイントがあります。

（1）ターゲット顧客のニーズを満たせるものであること

これは一見ごく当たり前のことのようですが、実は、きちんとお客様のニーズに応えることは、けっこう大変なことなのです。物語では、お肌がすべすべになるクリームや化粧水を想定していますが、効果だけでなく、使い勝手も良くないといけません。

私自身の例ですが、先日、留学生に韓国産の高級な人参茶をもらいました。ところが個包パックに開封のための切り込みがあるものとないものがあり、切り込みがないものにははさみを入れる必要があって、ストレスを感じました。

最近は、シャンプーなど環境のことを考えてリフィルタイプのものが出ていたりするように、使った後のことまで考えて、商品を作り込む必要が出て来ています。

（2）他の商品との違いがある

類似商品があるわけですから、それらとは違う点がはっきりしていて、それがお客様に認められるものでなければなりません。マーケティング用語では、これを「意味のある差別化」と呼びます。

4つ揃っているだけじゃなく、バランスも重要ね！

（3）商品ラインナップが揃っていること

想定するターゲット顧客層に合わせて商品ラインを揃える必要があります。物語では、フェイスマスクだけでなく、使い勝手や好みに合わせてクリームタイプや化粧水タイプも用意することになりました。

▼お互いに整合性がとれているかをチェック

この４つのマーケティングミックスは、商品・サービスを軸にして互いに整合性のとれた内容になっていなければなりません。

左記に物語でのマーケティングミックス案を紹介しておきます。

碧は、元はお手頃なフェイスマスクから出発したのですが、フェイスマスクだけでは地元の人達に使ってもらいにくいと考え、化粧水やクリームも用意することにしました。そして、価格は、商品と商品の価格バランス等を考えて設定してあります。

図5-01 マーケティングミックス

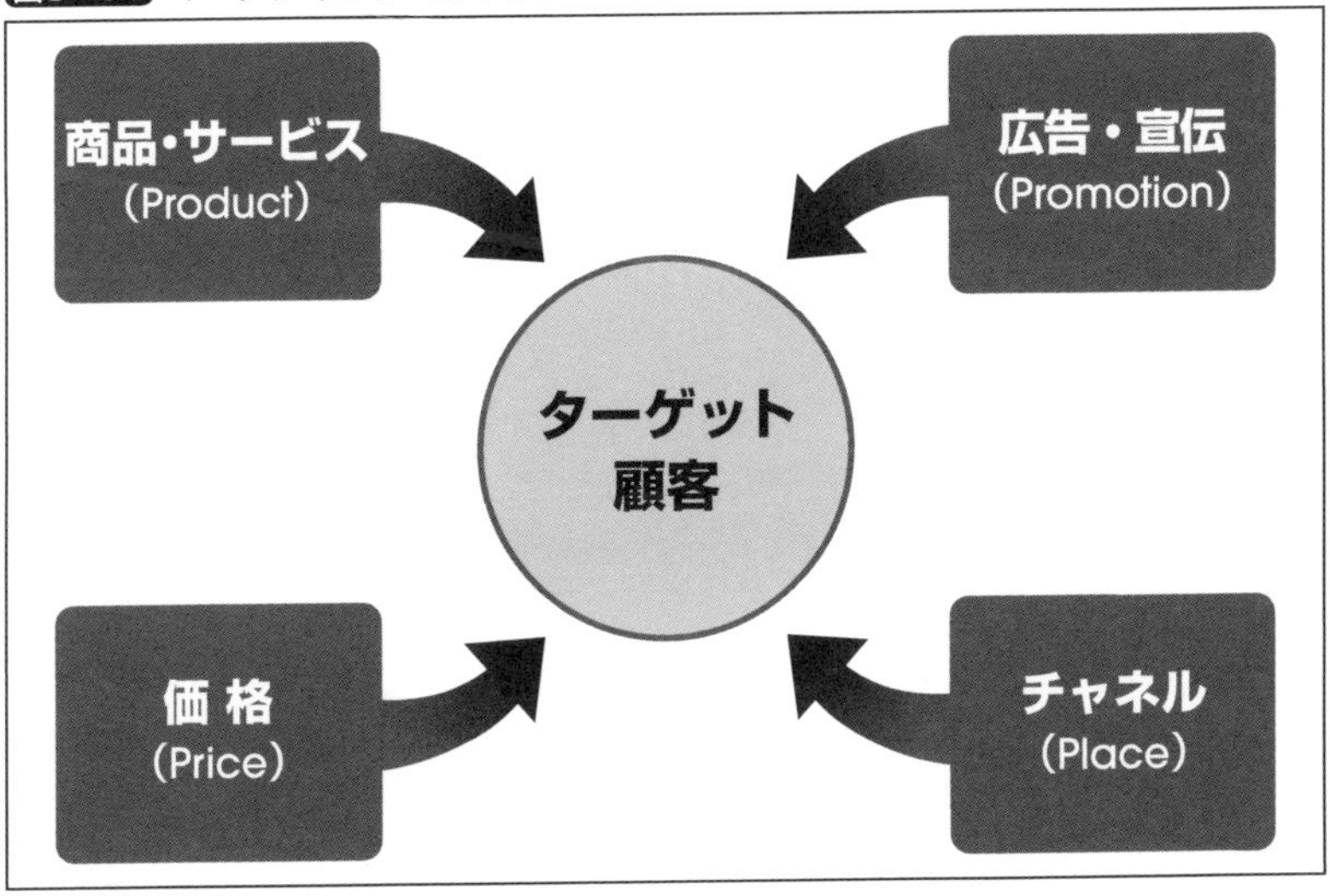
商品・サービス
(Product)
広告・宣伝
(Promotion)
ターゲット
顧客
価 格
(Price)
チャネル
(Place)

また、チャネルは、地元の人達に買ってもらうために地元の商店に卸すとともに、観光客に購入してもらうために土産物店にも置き、都市部、または全国の人達に買ってもらえるようにネット通販と3つのチャネルを揃えることにしました。

プロモーション（広告・宣伝）は、初期段階では口コミや店頭での紹介、続いて、実績を上げてから雑誌の取材を受けるとしています。

このように、4Pはターゲット顧客層ごとに、どのようなチャネルでどのように広告宣伝して販売するかということを整合性を持って決めておく必要があります。

図5−02 マーケティングプランの例

商品・サービス	価格
1．「酒発酵エキス和紙マスク」フェイスマスク　5枚セット 2．「酒発酵エキス化粧水」100ml 3．「酒発酵エキスクリーム」50g	1．セットで1,500円 2．1本　1.300円 3．1個　1.200円 送料　500円／パック
チャネル	**プロモーション**
●地元商店 ●土産物店 ●ネット通販	●地元及び旅行者の口コミ、土産 ●女性雑誌掲載

02 価格を決める

値ごろ感と、コストのバランスを考えましょう！

▼価格設定の2つの考え方

Price（価格）は商品・サービスの次に重要な要素ですね。価格については、大きく2つのアプローチがあることがわかりました。

（1）お客様が認める価値に応じて決める方法

新しい商品・サービスについて説明すると、お客様はそれに対して一定の価値を認めてくれます。もちろん高い価値を認めてくれる人もいれば、低い価値しか認めてくれないお客様もいます。必ずしも一律ではありません。ただ、高い方に行けば行くほど数が減ってきますから、ある程度の数を売ろうと思ったら、その客層にあった価格、適正価格を設定しなければなりません。また、すでに類似商品がある場合には、お客様の値ごろ感が既存の商品によって決められてしまいますから、その値ごろ感をつかむことが大切です。

価値はなかなか定量的に出ないため、難しい面を持っています。価値が何によって決まるかというと、競合・類似商品との価格対比（相対価値）と、その商品・サービスによって得られるメリット（絶対価値）の2つです。絶対価値が高くても、競合・類似品と比べて高ければ売れませんし、競合・類似品がなくても絶対価値が低ければ購入されません。

また、相対価値、絶対価値の双方が高くても、価格帯そのものがハイレベルだと、顧客の支払い能力、負担能力に限界があり、普及しにくくなります。1万円以上する化粧品や健康食品等がよい例です。

(2) 原価上乗せ方式

商品・サービスには、一定のコスト＝原価がかかりますから、その原価に一定程度のマージンを乗せて販売価格を決めることになります。コストには仕入・製造コストと販売管理費と流通コストの3つがあります。自社でかかるのは仕入・製造コストと販売管理コストですが、お客様の手に渡るまでにはまだ流通コストがあるため、そこまで考えて価格設定・コスト設定する必要があります。メーカーの場合は、自社マージンは、3割前後が多いようです。

さて、肝心の価格設定ですが、価格は、①お客様が認める価値と②原価プラスマージンの間である必要があります。①の方は、物語では、アンケート調査等から把握できますし、②の方は、原材料費や加工費等を積み上げて算出することになります。

図5-03 価値と価格とコスト

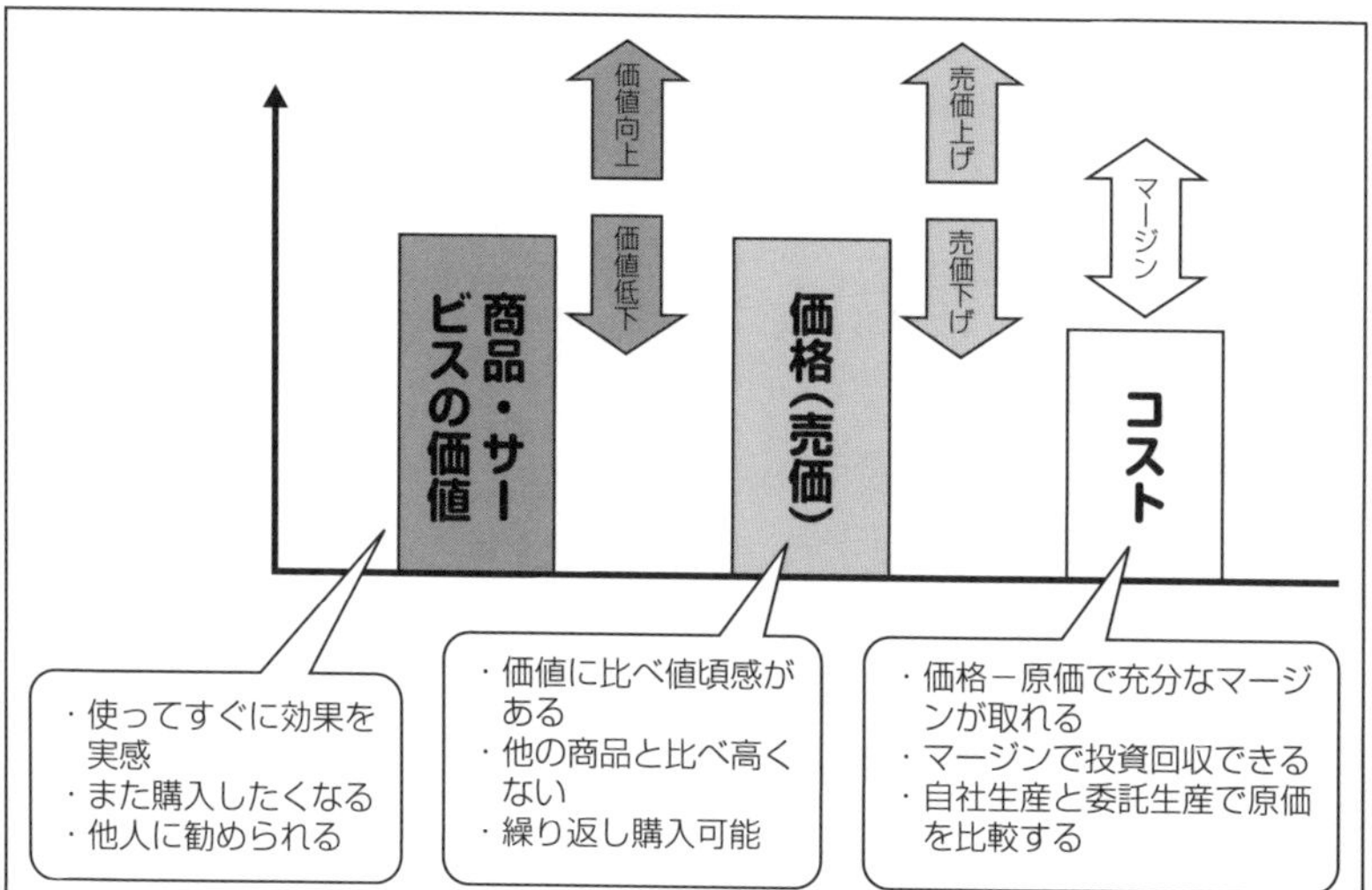

価値向上
価値低下
商品・サービスの価値
売価上げ
売価下げ
価格(売価)
マージン
コスト
・使ってすぐに効果を実感
・また購入したくなる
・他人に勧められる
・価値に比べ値頃感がある
・他の商品と比べ高くない
・繰り返し購入可能
・価格－原価で充分なマージンが取れる
・マージンで投資回収できる
・自社生産と委託生産で原価を比較する

03 販路(チャネル)を確保する

▼**直接チャネルと間接チャネル**

Place(チャネル)は、その商品・サービスを流すルートです。大きく分けると、直接チャネルと間接チャネルがあります。

(1) 直接チャネル

お客様(エンドユーザー)に対して直接販売する形態です。物語では、酒蔵の店頭で販売したり、インターネット通販等がこれに当ります。最近は、地方のお菓子屋さんやお茶屋さん、農水産加工会社が、ネット通販を利用して大都市の顧客に直接販売する形態が増えています。直接チャネルのいいところは、お客様と直接コンタクトを取れることです。例えば、ネット通販で一度購入してもらったお客様に、新商品の案内をメールや郵便で出したり、イベントに誘導するなどのアクションを取ることができます。私のところにもお茶やお菓子、お酒等の案内が多く届くようになっています。

大手のアマゾンや楽天などでは、お客様が過去に購入や閲覧したものから、そのお客様の好みを分析し、類似ジャンルの商品を紹介してくる等、個客(一人ひとりのお客様の意味)マーケティングを行うようになっています。

小さな会社でも、データ分析して、類似のことを行おうと思えば可能です。

(2) 間接チャネル

卸等を介して販売する方法で、もっともポピュラーな方法です。加工食品ならスーパー等で売られます。戦後の日本経済は、スーパー等の流通業

が発達し、メーカーは優れた製品を作り、テレビ等を通じて自社製品の宣伝をすることにより、店頭に置かれた自社製品を大量に販売することができたのです。物語では、土産物店で売ってもらうことがこれに相当します。

　間接チャネルのいいところは、卸した後の手間がかからないことです。お客様はいろいろな目的があってそのお店に来ています。商品を陳列しておいてもらえれば、来店したついでに購入してくれるかもしれません。

　わざわざ自社の商品だけを購入するためだけに特定のお店に出かけてもらうというのは、そうそうないことですから、いろいろと品揃えのあるなかにおいてもらうことは、お客様にとってもいいことなのです。

▼売り切り方式と委託販売方式

　間接チャネルを使う場合は、売り切り方式と委託販売方式があります。売り切りとは、卸す段階でお金を払ってもらうことで、売れるか売れないかはお店側がリスクを取ります。もし、売れ残ったら、お店が廃棄して損を出さなければなりません。スーパー等ではこの形態をとっています。

　それに対して、商品としては置いてもらいますが、売れたらその代金の一定金額を小売店に支払う方式を委託販売方式と言います。マイナーなように思えますが、意外に多くあります。典型的なのは、新刊書を扱う書店です。我々が買う本は、流通卸会社が出版社からいったん買い取っていて、書店はそれを置き本しているケースがほとんどです。そして、1冊売れたら本代のいくら、というようにお金を受け取っているのです。この方式は、中小の小売業者がリスクを負わなくてもいいようにしているものです。皆さんが個人で自社製品を販売しようとする場合は、こうした委託販売形態を求められることがあります。

▼チャネル選択とバランス

新しくビジネスをするのに、直接・間接、いずれのチャネルを選ぶのかは重要な問題です。

例えば、碧の場合、商品の利益率が高くないので、直接チャネルだけを選んだとします。すると酒蔵を訪問した人に記念品として売るか、ネットでたまたま見つけた人に買ってもらうしかなくなって、ずいぶんと売れる相手が限定されてしまいます。逆に、近所のお店などの間接チャネルだけで販売するとなると、商品を目にするお客様は増えるのですが、お客様の声は届きにくくなります。

例えば、化粧水は売れるけれども、フェイスマスクはあまり売れないとしましょう。そうすると、どうしてフェイスマスクが売れないのか、その原因がつかみにくくなります。販売店の店員さんに、いちいちお客様になぜフェイスマスクは買わないのかは聞いてもらえません。その点が間接チャネルの難点なのです。

このように直接チャネル、間接チャネル、それぞれ長所と短所があるので、バランス良くなるようにチャネル選択をする必要があるのです。

図5－04 直接チャネルと間接チャネル

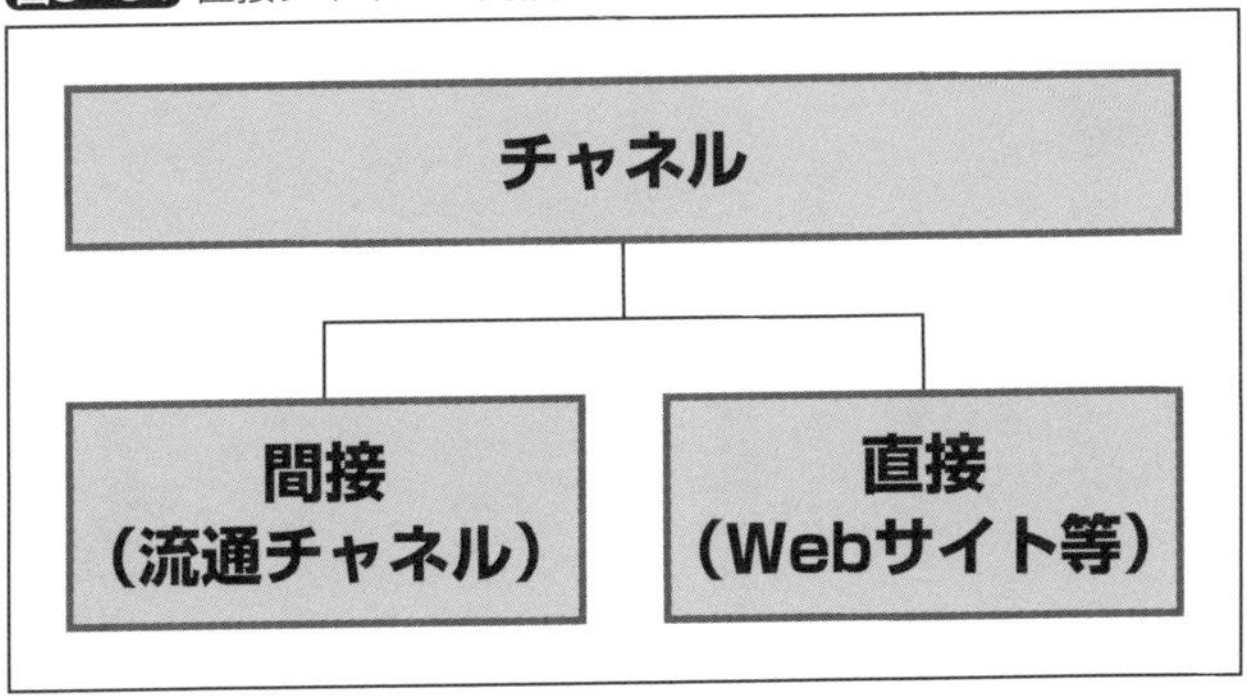

04 広告・宣伝方法を考える

▼商品・サービスを知ってもらうことが大切

Promotion（広告・宣伝）は、その商品・サービスの特徴に合った広告・宣伝を打つ必要があります。ＢｔｏＢビジネスでは、この部分は営業担当の役割になります。

物語では、店頭でのＰＯＰ（商品の名前や価格、売り文句等が書かれている広告媒体）を使ったり、土産物屋の店員にサンプル提供して商品宣伝してもらおうとか、テスター（試しに使ってもらうもの。化粧品類に多い）を置こうなどと相談していましたね。

そのなかでも最も効果がありそうなのが雑誌に記事として載せてもらう方法です。全国的に紹介してもらえるチャンスです。紹介、掲載してもらえるだけのニュース性があることが前提になりますし、それを雑誌社や新聞社にプレスリリースで知らせることも必要になります。もちろん簡単に全国誌（紙）に掲載されるわけではありませんし、なかには、記事だと言いながら有料で掲載させるものもありますので、見極めが必要です。

いずれにしても、商品・サービスを販売していく場合、皆さんの商品・サービスがあることを顧客に知ってもらう必要がありますから、何らかのプロモーションは必要になります。

▼マス媒体を上手に使う

プロモーションのなかで、一度に大勢の人達に広告宣伝する媒体をマス媒体と言います。マスはマスコミのマスで、大衆を意味しています。マス媒体には、テレビ、新聞、雑誌、ラジオ、インターネット広告等があります。

どんなにすごい商品でも知ってもらわなければ売れないのです！

またエリアを限定して新聞などに折り込む折り込みチラシ、郵便ポストに投函するポスティング、街頭で配る手配りチラシ、名簿を使って送付するDM（ダイレクト・メール）などもあり、様々です。最近ではインターネット広告が著しく伸び、ラジオを追い越しました。マス媒体は、一度に多くの人に知らせることができるのですが、知らせた後どうなったかがわからないので、広告効果が捉えにくい媒体です。

店頭で直接顧客にアピールする方法としてPOPやキャンペーン等の販売促進もあります。体験を誘導するには効果があるでしょう。

図5－05 さまざまなプロモーション

区分	特徴	難点
テレビ	●カバー範囲が広い ●社会的信頼性が高い ●映像・音声を組み合わせられる	●コストが高い ●一方通行 ●伝えられるメッセージに限りがある
新聞	●社会的信頼性が高い ●安定した読者層にリーチできる ●地域性に対応可能	●掲載コストが高い ●多くの情報に埋もれてしまう ●購読者数が減少傾向
雑誌	●性別・年齢層別・趣味別に訴求できる ●保存性が高い ●掲載広告への関心が高い ●関心層にじっくり見てもらえる	●読者層が限られる ●掲載時期が限定される
折込チラシ	●地域性・即効性・継続性がある ●広告主側に編集の自由度がある ●掲載タイミングを選べる ●予算により配布部数・地域を限定できる	●他の折込の中に埋もれて閲覧率が低くなる ●一方通行
インターネット	●リーチが長い ●更新性、即効性、継続性がある ●反応がつかめる、やり取りが可能	●検索してもらわないとわからない ●維持持続に手間がかかる
販売促進	●直接顧客に訴求できる ●促進期間中に販売数量アップが行える ●地域・店舗などを選択できる	●効果が一過性になりやすい ●継続顧客が得られにくい

05 事業化方法とステップ

▼4つのステップとは

新規事業を立ち上げて行く際は、いきなり、たくさんのお客様に大量の商品を購入してもらうということはありえません。ですから、準備段階、導入期、拡大期、発展期のように徐々に成長していくものとして事業化のステップを考えます。

物語では、碧は小篠のアドバイスを受けて、左頁のような事業化方法とステップを描きました。

まず、準備段階で、商品を試作したり、協力会社を募ったりして、商品を生産できる体制を整えます。

必要であれば、人を雇って、準備しなければなりません。よく街中で、「オープニングスタッフ募集中」の貼り紙を見かけることがあります。これは、お店を開く準備段階であるということです。事業計画書を作成している現段階は、この準備段階に相当します。

導入期では、地元の女性及び土産物店での観光客向け販売を始めます。この段階でのポイントは、潜在購入者の目に多く触れるようにすることと、初回の購入を図って、体験者を増やすことです。そして、リピート購入や口コミにまで持ち込めれば、成功と言えます。実際の店舗で、新商品としての認知を得て、実際に購入・使用してもらい、その効果を実感してもらいます。そして、体験者の間でリピート購入や口コミが広がるようにします。体験者には感想を寄せてもらい、許可を得てホームページ掲載させてもらうといいでしょう。すると、ネットを見た人に、体験者の声をもとに新規購入が生まれます。そして、リアルとネットの両方で、口コミの評判が広がるようにします。

この導入期で注意すべきことは、クレームや悪い評判を作らないこと、万が一の時は早期対応することです。悪い芽は、早い段階で摘んでおく必要があります。

導入期で成功できたら、拡大期に進みます。拡大期では、導入期で評判となった口コミや体験情報をもとにタウン誌や、女性誌等から取材を受けられるようになり、雑誌に掲載されると、他の雑誌でも取り上げられるなど、マーケティングのテコの原理が働き始めます。そうすると、それをもとにネットからの注文が殺到することになります。いわゆる「ブレイクする」は、こうした状態です。

そして、最終的には、発展期として、利用者・体験者から口コミで評判が広がり、徐々に利用者が広がっていくというステップが想定できます。

事業化方法とステップは、その通り行くかどうかは別物として、自分なりに拡大・発展していくプロセスのシナリオを描きます。

図5−06 事業化のステップの例

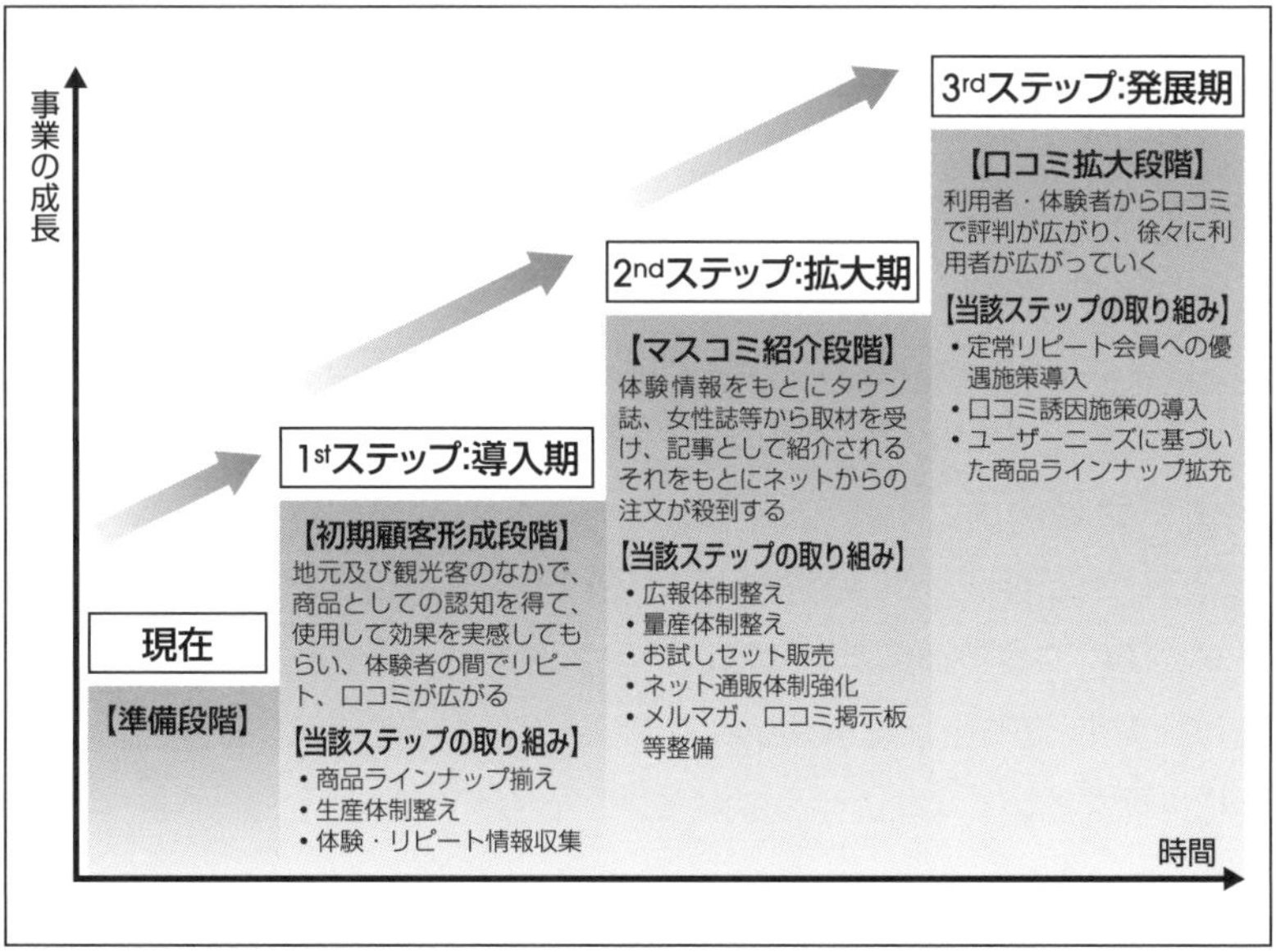
事業の成長
時間
現在
【準備段階】
1stステップ:導入期
【初期顧客形成段階】
地元及び観光客のなかで、商品としての認知を得て、使用して効果を実感してもらい、体験者の間でリピート、口コミが広がる
【当該ステップの取り組み】
・商品ラインナップ揃え
・生産体制整え
・体験・リピート情報収集
2ndステップ:拡大期
【マスコミ紹介段階】
体験情報をもとにタウン誌、女性誌等から取材を受け、記事として紹介されるそれをもとにネットからの注文が殺到する
【当該ステップの取り組み】
・広報体制整え
・量産体制整え
・お試しセット販売
・ネット通販体制強化
・メルマガ、口コミ掲示板等整備
3rdステップ:発展期
【口コミ拡大段階】
利用者・体験者から口コミで評判が広がり、徐々に利用者が広がっていく
【当該ステップの取り組み】
・定常リピート会員への優遇施策導入
・口コミ誘因施策の導入
・ユーザーニーズに基づいた商品ラインナップ拡充

column その他のマーケティング上の留意点

マーケティング上重要なその他の留意点について触れておきます。

（1）リピート購入

どんなビジネスでもお客様に1回しか買ってもらえなければ長続きしません。繰り返し買いたくなる、使いたくなる商品・サービスになるように作り込む必要があります。

（2）顧客満足

リピート購入につなげるにはお客様の満足、顧客満足が重要です。

お客様の満足は、モノによる満足とサービスによる満足があります。例え商品を売る商売でも、売り手のサービスが良くないと、「あの店では買いたくない」となりますから注意が必要です。

（3）良い顧客を持つメリット

自社にとって良いお客様を持つメリットは大きく分けて2つあります。

ひとつは、そのお客様から長年にわたって売上・利益が上げられることです。

もうひとつのメリットは、そのお客様が“伝道者”になってくれる点です。ただし、伝道者もたった1回の不満で、テロリスト（破壊者）となってしまうことがありますので、注意が必要です。

（4）ブランド

ブランドとはブランド商品のことではなく、あなたが提供する商品・サービスのブランドのことです。ブランドとは、顧客への約束であると言われます。立ち上げる事業が将来ブランドになるように、あらかじめ「お客様に何を約束するのか」を決めておくと良いでしょう。

STEP 6

事業収支計画を作る

STORY 6 お金が足りない!!

しかしなぁ
お金を借りて事業をやって
もし失敗したら
それだけ借金を
背負うことになるんだぞ
それでもいいのか？
君にそれだけの
覚悟があるのか？
あ
ありますす
いや、
あるつもり！

STORY 6
お金が足りない!!
カタ…
カタ…
カタ…
はーーーっ!
やっぱりダメ 何度やっても ぜんぜん埋まらない しかも なんで固まるのよ!
というわけで ぜんぜん進みません
ズーン
でも 期限が切れてから できませんでした っていうより いいじゃないですか!
えへへへへへ

はぁ・・
ズーン・・・
はぁ
はぁ!
先が思いやられるな
ま　しょうがない
ひとつずつ埋めていこう
でも
数字は自分で考えて
いかなくちゃならない
さっそくやるか
すみません
はぃ・・・!
ほらっ
やってみろ
商品1個の
価格は?
えっと・・・
ええっと
フェイスマスクが
5枚セットで1500円
化粧水が1300円
クリームが1200円
化粧水
1300円
クリーム
1200円
フェイスマスク
5枚
1500円
セット販売は?
ガタ

2点セットの場合は
10%引き
3点セットの場合は
15%引きです
原価は？
人は何人
雇うつもりだ？
パート
正社員？
カタ
カタ
人件費は
いくらに設定する？
売り場ごとの
販売個数は？
平日はいくつ？
週末は？
わからない
ところは
仮置きでいい
後でわかったら
直せばいいんだ
それがこのシートの良さだ
いつだって再計算できる
人生もこうやって
やり直しが きいたら
いいかもな！

小篠さんって
ただの変な人だと
思っていたけれど…
結構いろんな
事情があって
ここにいるのかも
うわっ！
だんだん数字が入って
勝手に計算されて
数値が出ている！

記入日	
記入者	

項目	事業収支計算の前提条件（製造委託方式）					
			上代（小売値）		下代（卸値）	単位：千円
売上	単価	和紙マスク	1,500 円		1,125 円	
		化粧水	1,300 円		975 円	
		クリーム	1,200 円		900 円	

		導入→		拡大→		展開→
		1年度	2年度	3年度	4年度	5年度
小売販売数量	和紙マスク	200	500	1,000	3,000	5,000
	化粧水	200	250	500	1,500	2,500
	クリーム	200	250	500	1,500	2,500
	合計	600	1,000	2,000	6,000	10,000
卸販売数量	和紙マスク	300	500	1,000	2,000	3,000
	化粧水	150	300	500	1,000	1,500
	クリーム	150	300	500	1,000	1,500
	合計	600	1,100	2,000	4,000	6,000
合計販売数量	和紙マスク	500	1,000	2,000	5,000	8,000
	化粧水	350	550	1,000	2,500	4,000
	クリーム	350	550	1,000	2,500	4,000
総販売数量		1,200	2,100	4,000	10,000	16,000
販売金額	和紙マスク	638	1,313	2,625	6,750	10,875
	化粧水	406	618	1,138	2,925	4,713
	クリーム	375	570	1,050	2,700	4,350

項目							
原価	仕入原価	和紙マスク	750 円				
		化粧水	650 円				
		クリーム	600 円				
	仕入額	和紙マスク	375	750	1,500	3,750	6,000
		化粧水	228	358	650	1,625	2,600
		クリーム	210	330	600	1,500	2,400
販管費	人件費	正社員	3,000 千円／年				
		パート・アルバイト	1,536 千円／年				
	人員						
	正社員数		1.5	1.5	1.5	1.5	1.5
	パート・アルバイト			0.0	0.0	0.0	1.0
	人件費		4,500	4,500	4,500	4,500	6,036
	オフィス賃料		240	240	240	240	240
	電気・ガス・水道・電話		360	360	360	360	360
	通販サイト維持費		240	240	240	240	240
	車両費		360	360	360	360	360
設備投資 建物	既存の建物を使用						
設備	機械設備		製造委託方式に付き機械設備なし				
	ハードウェア						
			初期	2年目以降			
	ソフトウェア		500				

投資回収計算の前提条件		
投資償却		償却方法
建物	20年	定額
設備（ソフトウェア）	5年	定額
借入金利	2%	
ハードルレート（割引率）	5%	

名称	酒発酵エキス和紙マスク事業

事業収支計画表

（製造委託方式）

単位：千円

	項目		0年度	1年度	2年度	3年度	4年度	5年度
事業収支	売上高	売上高計	0	1,419	2,500	4,813	12,375	19,938
		和紙マスク		638	1,313	2,625	6,750	10,875
		化粧水		406	618	1,138	2,925	4,713
		クリーム		375	570	1,050	2,700	4,350
	売上原価	売上原価計	0	813	1,438	2,750	6,875	11,000
		（原価率）	0.0%	57.3%	57.5%	57.1%	55.6%	55.2%
		和紙マスク		375	750	1,500	3,750	6,000
		化粧水		228	358	650	1,625	2,600
		クリーム		210	330	600	1,500	2,400
	売上総利益（粗利）		0	606	1,063	2,063	5,500	8,938
	販管費	販管費計	0	5,800	5,800	5,800	5,800	7,336
		（販管費率）	0.0%	408.8%	232.0%	120.5%	46.9%	36.8%
		人件費		4,500	4,500	4,500	4,500	6,036
		オフィス＆光熱費		1,200	1,200	1,200	1,200	1,200
		広告宣伝費　他						
		減価償却費	0	100	100	100	100	100
	営業利益		0	-5,194	-4,738	-3,738	-300	1,602
		（営業利益率）	0.0%	-366.1%	-189.5%	-77.7%	-2.4%	8.0%
	営業外収益							
	営業外費用	営業外費用計	0	155	145	130	110	90
		支払金利		155	145	130	110	90
	経常利益		0	-5,349	-4,883	-3,868	-410	1,512
		（経常利益率）	0.0%	-377.0%	-195.3%	-80.4%	-3.3%	7.6%
	特別利益							
	特別損失							
	税引前当期利益		0	-5,349	-4,883	-3,868	-410	1,512
	法人税等		0	0	0	0	0	605
	税引後当期利益		0	-5,349	-4,883	-3,868	-410	907
		（税引後当期利益率）	0.0%	-377.0%	-195.3%	-80.4%	-3.3%	4.5%

	項目		0年度	1年度	2年度	3年度	4年度	5年度
キャッシュフロー	営業キャッシュフロー		0	-5,249	-4,783	-3,768	-310	1,007
	投資キャッシュフロー		-500	0	0	0	0	0
		設備（原価分）						
		設備（販管費分）	-500					
	フリーキャッシュフロー		-500	-5,249	-4,783	-3,768	-310	1,007
	財務キャッシュフロー	資本金	12,000					
		借入金	8,000					
		借入金元本返済		-500	-500	-1,000	-1,000	-1,000
		借入金残高	8,000	7,500	7,000	6,000	5,000	4,000
		配当金						
		合計	20,000	-500	-500	-1,000	-1,000	-1,000
	ネット・キャッシュフロー		19,500	-5,749	-5,283	-4,768	-1,310	7
	キャッシュ残高		19,500	13,751	8,469	3,701	2,391	2,398

	項目	0年度	1年度	2年度	3年度	4年度	5年度
償却費	減価償却費		100	100	100	100	100
	設備（原価分）当期償却額		0	0	0	0	0
	償却額累計		0	0	0	0	0
	簿価	0	0	0	0	0	0
	設備（販管費分）当期償却額		100	100	100	100	100
	償却額累計		100	200	300	400	500
	簿価		400	300	200	100	0

投資回収	現在価値		-500	-4,999	-4,338	-3,255	-255	789
	正味現在価値		-12,558					
	割引率	5.0%						
	内部収益率（IRR）		#NUM!					

収益性が低すぎて計算不能なことを表している

注：着色　エリアは入力しない（自動計算等のため）

白地　エリアに数値または計算式入力

でも　これじゃ
利益率が低いな!
いくら作っても
これじゃ儲からない

			0年度	1年度	2年度	3年度	4年度	5年度
事業収支		和紙マスク		375	[illegible]	1,500	3,750	6,000
		化粧水		228	358	650	1,625	2,600
		クリーム		210	330	600	1,500	2,400
	売上総利益(粗利)		0	606	1,063	2,063	5,500	8,938
	販管費	販管費計	0	5,800	5,800	5,800	5,800	7,336
		(販管費率)	0.0%	408.8%	232.0%	120.5%	46.9%	36.8%
		人件費		4,500	4,500	4,500	4,500	6,036
		オフィス&光熱費		1,200	1,200	1,200	1,200	1,200
		広告宣伝費・他						
		減価償却費	0	100	100	100	100	100
	営業利益		0	-5,194	-4,738	-3,738	-300	1,602
		(営業利益率)	0.0%	-366.1%	-189.5%	-77.7%	-2.4%	8.0%
	営業外収益							
	営業外費用	営業外費用計	0	155	145	130	110	90
		支払金利		155	145	130	110	90
	経常利益		0	-5,349	-4,883	-3,868	-410	1,512
		(経常利益率)	0.0%	-377.0%	-195.3%	-80.4%	-3.3%	7.6%
	特別利益							
	特別損失							
	税引前当期利益		0	-5,349	-4,883	-3,868	-410	1,512
	法人税等		0	0	0	0	0	605
	税引後当期利益		0	-5,349	-4,883	-3,868	-410	907
		(税引後当期利益率)	0.0%	-377.0%	-195.3%	-80.4%	-3.3%	4.5%

	項目		0年度	1年度	2年度	3年度	4年度	5年度
キャッシュ	営業キャッシュフロー		0	-5,249	-4,783	-3,768	-310	1,007
	投資キャッシュフロー		-500	0	0	0	0	0
		設備(原価分)						
		設備(販管費分)	-500					
	フリーキャッシュフロー		-500	-5,249	-4,783	-3,768	-310	1,007
	財務キャッシュフロー	資本金	12,000					
		借入金	8,000					

もう少し価格を上げるか
原価を下げるか
ただ　価格は売れ行きに
影響するから
原価を下げることを検討して
みるんだ
はっはいっ
ほら
やってみろ

原価を下げるならどこ？
カタ
カタ
フェイスマスク　750円→450円
化粧水　650円→390円
クリーム　600円→360円
これがぎりぎり！
カタ

事業収支	売上総利益（粗利）		0	931	2,600	10,863	17,875	34,513
	販管費	販管費計	0	5,800	7,336	8,872	10,408	11,944
		（販管費率）	0.0%	408.8%	189.3%	56.1%	39.8%	23.8%
		人件費		4,500	6,036	7,572	9,108	10,644
		オフィス＆光熱費		1,200	1,200	1,200	1,200	1,200
		広告宣伝費　他						
		減価償却費	0	100	10	100	100	100
	営業利益		0	-4,869	-4,73	1,991	7,467	22,569
		（営業利益率）	0.0%	-343.2%	-122.2	12.6%	28.6%	45.0%
	営業外収益							
	営業外費用	営業外費用計	0	155	14	130	110	90
		支払金利		155	14	130	110	90
	経常利益		0	-5,024	-4,88	1,861	7,357	22,479
		（経常利益率）	0.0%	-354.1%	-126.0	11.8%	28.2%	44.8%
	特別利益							
	特別損失							

できた…
はぁはぁ
さてと利益は出るようになったがキャッシュフローはどうだ？
あわ あわ
キャッシュフロー
キャッシュフロー
・・・・。
ええっと いまさらですけど キャッシュフローって なんですか？
え〜へ・
キャッシュフローっていうのは現金収支のことだ
キャッシュ＝現金
フロー＝流れ

赤字でも会社は
倒産しないけど
現金がなくなると
倒産する
金が払えないからだ
1.営業キャッシュフロー⇒
¥
商売で儲けたお金のこと
2.投資キャッシュフロー⇒
設備やソフトウェア等に
投資するお金
3.財務キャッシュフロー⇒
銀行
銀行からお金を借りたり
返したりする分
キャッシュフローは通常３分法で見る
つまり現金を３つに分けて考えるんだ

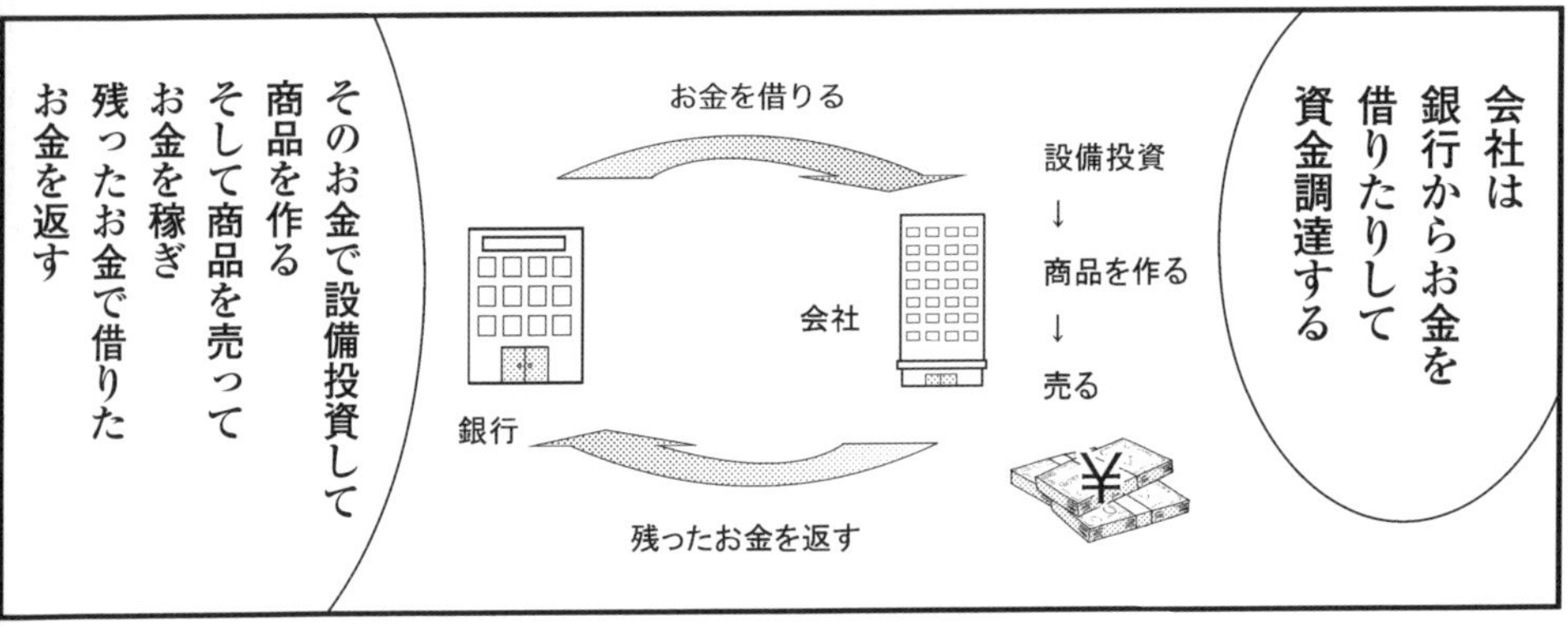
会社は
銀行からお金を
借りたりして
資金調達する
お金を借りる
設備投資
↓
商品を作る
↓
売る
会社
銀行
¥
残ったお金を返す
そのお金で設備投資して
商品を作る
そして商品を売って
お金を稼ぎ
残ったお金で借りた
お金を返す

こうやって
商売が回っていく
わけだ
はぁ
なるほど　で
この表はどうやって
見ればいいんですか？

		0	1	2	3	4	5
	経常利益	0	-5,024	-4,881	1,861	7,357	22,479
	（経常利益率）	0.0%	-354.1%	-126.0%	11.8%	28.2%	44.8%
	特別利益						
	特別損失						
	税引前当期利益	0	-5,024	-4,881	1,861	7,357	22,479
	法人税等	0	0	0	744	2,943	8,991
	税引後当期利益	0	-5,024	-4,881	1,117	4,414	13,488
	（税引後当期利益率）	0.0%	-354.1%	-126.0%	7.1%	16.9%	26.9%

項　目			0年度	1年度	2年度	3年度	4年度	5年度
キャッシュフロー	営業キャッシュフロー		0	-4,924	-4,781	1,217	4,514	13,588
	投資キャッシュフロー		-500	0	0	0	0	0
		設備（原価分）						
		設備（販管費分）	-500					
	フリーキャッシュフロー		-500	-4,924	-4,781	1,217	4,514	13,588
	財務キャッシュフロー	資本金	12,000					
		借入金	8,000					
		借入金元本返済		-500	-500	-1,000	-1,000	-1,000
		借入金残高	8,000	7,500	7,000	6,000	5,000	4,000
		配当金						
		合計	20,000	-500	-500	-1,000	-1,000	-1,000
	ネット・キャッシュフロー		19,500	-5,424	-5,281	217	3,514	12,588
	キャッシュ残高		19,500	14,076	8,795	9,012	12,526	25,113

項　目		0年度	1年度	2年度	3年度	4年度	5年度
償却費	減価償却費		100	100	100	100	100
	設備（原価分）当期償却額		0	0	0	0	0
	償却額累計		0	0	0	0	0
	簿価	0	0	0	0	0	0
	設備（販管費分）当期償却額		100	100	100	100	100
	償却額累計		100	200	300	400	500
	簿価		400	300	200	100	0

まず 営業キャッシュフローは 上にある損益計算書から 自動的に計算されて 出てくる
項目
営業キャッシュフロー
投資キャッシュフロー
設備（原価
設備（販管
フリーキャッシュフロー
財務キャッシュフロー
資本金
借入金
借入金
借入金
配当金
合計
ネット・キャッシュフロー
キャッシュ残高
キャッシュフロー
つまり事業収支が 作れていれば 営業キャッシュフローは 出てくるんだ
次に 投資キャッシュフローは いつ何にいくら 投資をするか 仮決めしておいて 必要な年に入れるんだ
ふむふむ
右側の表の中※に 書いておくと いいですね
※186頁参照
で フリーキャッシュフロー ってなんですか？

営業キャッシュフローと投資キャッシュフローを合わせたものだ
それと財務キャッシュフローを合わせるとネットキャッシュフローが出てくる
む、難しい…
どの年もキャッシュ残高がマイナスにならないようにしていくんだ
言っておくがキャッシュフローは入ってくればプラスで出て行けばマイナスだ
せっせっ
そうなると…ネットキャッシュフローがマイナスの年もありますけどキャッシュ残高はマイナスになりません！
それは ゼロ年度の借入金と資本金の合計金額が2000万円あるからだろ 当面の課題はそれをどう用意するかだ
に、2000万円…

		0年度	1年度	2年度	3年度
税引後当期利益		0	-5,024	-4,881	1,117
	(税引後当期利益率)	0.0%	-354.1%	-126.0%	7.1%

項目			0年度	1年度	2年度	3年度
キャッシュフロー	営業キャシュフロー		0	-4,924	-4,781	1,217
	投資キャッシュフロー		-500	0	0	0
		設備（原価分）				
		設備（販管費分）	-500			
	フリーキャッシュフロー		-500	-4,924	-4,781	1,217
	財務キャッシュフロー	資本金	12,000			
		借入金	8,000			
		借入金元本返済		-500	-500	-1,000
		借入金残高	8,000	7,500	7,000	6,000
		配当金				
		合計	20,000	-500	-500	-1,000
	ネット・キャシュフロー		19,500	-5,424	-5,281	217
	キャッシュ残高		19,500	14,076	8,795	9,012

項目	0年度	1年度	2年度	3年度
減価償却費		100	100	100
設備（原価分）当期償却額		0	0	0

私の貯金から
200万円ならなんとか
うう…
2000万円あれば
東京近郊で
マンションが買える
その頭金にと
思っていたけど……
貯金
ぶん
ぶん
私の貯金から
なんとかします！
じゃあ
あとの1800万円は
どうする？
うっ…
うーん…
母から借りたり
これまでの実績で
信金から借ります
それから…
今回協力してくれてる人達に
お願いしてみます！

しかしなぁ お金を借りて事業をやって もし失敗したら それだけ借金を 背負うことになるんだぞ
それでもいいのか? 君にそれだけの 覚悟があるのか?
あ ありません
いや あるつもり!
このままお酒だけ 作っていても じり貧だし 一か八かやるしか ありません!
みんな乗り気だし こんないいプランだもの 集まらないはずないわ!
……

それなら これで総仕上げだ
ここまでのプランを 事業計画書に まとめるんだ 期日は2週間後
みんなを集めて 説明会を開く そこで金が 集まらなければ この話はない

そうよ もう… 精一杯やるしか ない！

1
まず自社生産にするのか それとも製造委託にするのか それで原価が だいぶ変わってくる
どちらがいいか 決めるのに 2種類作ってみろ！
2
3
そうか やはり製造委託の方が 労務費がかからない分 最初は収益性がいいな
まずは製造委託から 始めるか
4
あれ？ 人件費が入って いないじゃないか モノを作ったり 売ったりするのに タダ働きさせるつもりか？
5
う〜ん
よし 人件費が入ったな それじゃあ売れ行きは 予想通り伸びるケースと そうでもないケースと 最低2つは作れ
6
ちゃんと前提条件を 変えてファイルを 2つ作るんだぞ
7
じっ・・・
よくできている いいだろう
みんなにプレゼンする時は 生の数字ではわかりづらい
こうやってグラフを使って ビジュアルで理解して もらうことも大切だ

年度	1年度	2年度	3年度	4年度	5年度
売上高	1,419	3,875	15,813	26,125	50,188
経常利益	-5,024	-4,881	1,861	7,357	22,479
累積経常利益	-5,024	-9,905	-8,044	-687	21,791

総販売数量	1,200	3,100	12,000	20,000	38,000

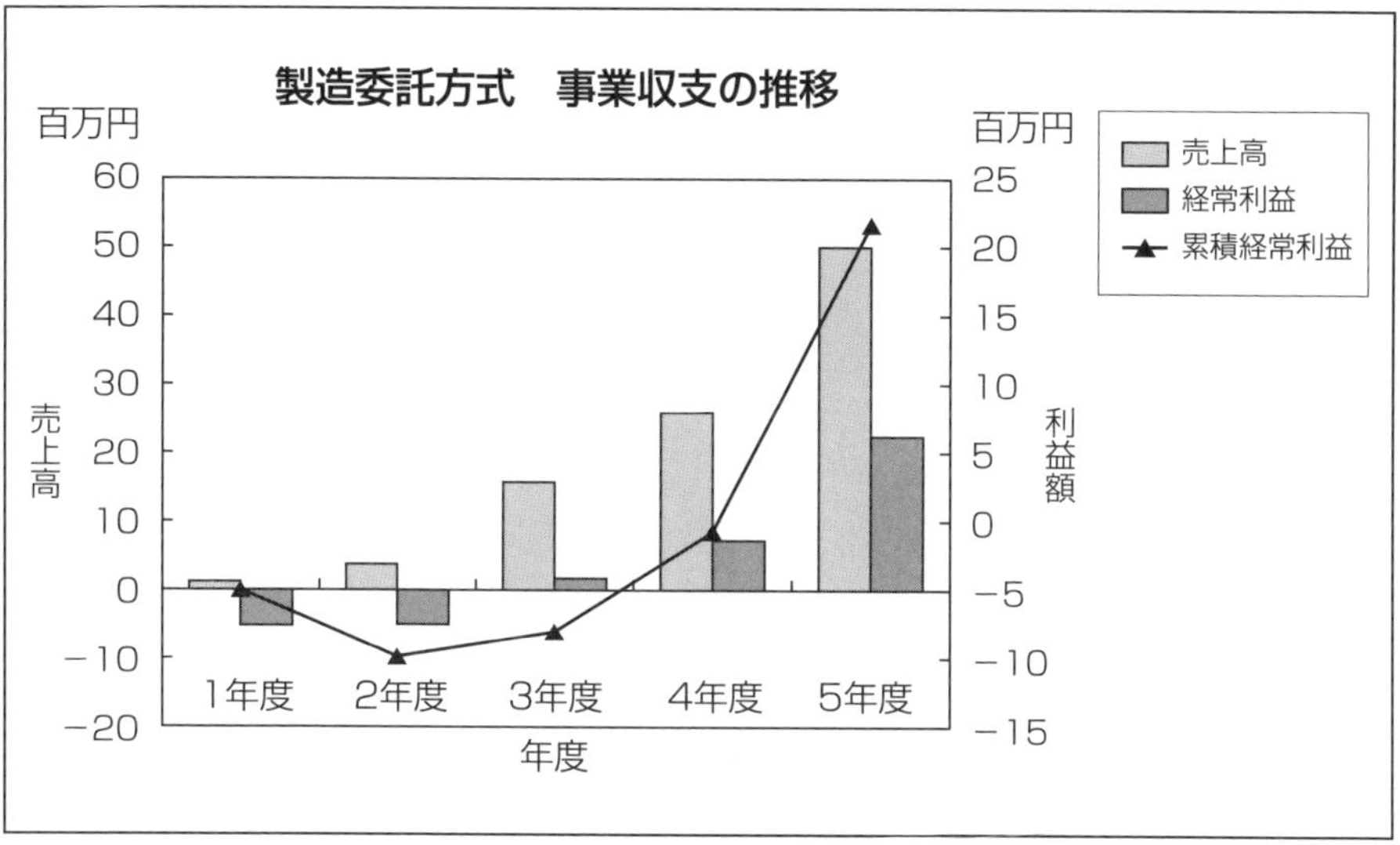
製造委託方式　事業収支の推移
百万円
60
50
40
30
20
10
0
−10
−20
売上高
百万円
25
20
15
10
5
0
−5
−10
−15
利益額
売上高
経常利益
累積経常利益
1年度
2年度
3年度
4年度
5年度
年度

わ！ すごい 数字じゃいまいち 実感できなかったけど これならわかる
きゃーっ
うんうん

01 収支の中身を明らかにする

▼お金の「出」と「入」を見る

まず、事業収支とは、お金の出入を示したものです。「収」が「入」で、「支」が「出」です。差し引きして残ったお金が儲けに当たります。

物語では、お金の入りは、商品が売れた際に代金として発生します。直接お客様に売る場合は、その販売代金、お店に卸す場合は、お店からの仕入代金振り込みがそれに当たります。それ以外にはありません。

では、お金の「出」はどうでしょうか？　まず原材料を購入したら、その相手先に代金を支払わなければなりません。人を雇えば、その人に毎月お給料を払わなければなりません。その他、電気、ガス、水道代、ガソリン代などの経費がかかります。そして、毎月「入」と「出」を締めていき、「入」と「出」の差引結果を積み上げていきます。大雑把に言うと、「入」の方が「出」よりも多いと黒字、逆だと赤字です。事業を始める場合は、何がしかの元手を持っていて、それを銀行の決められた口座に預けておきます。そして、月々のお金の出入りはその口座を通じて行います。

▼お金が貯まっていくよう計画を立てる

毎月「入」の方が多くて、お金が貯まっていけば、事業は順調ですが、逆に毎月「出」の方が多くて、銀行のお金が減っていくと、最後には、資金は底をついてしまいます。そうすると、倒産です。意外に簡単なことなのですが、収支と会社の存続とは、そういうことなのです。ですから、お金が徐々に貯まっていくように、あらかじめお金の計画を作ります。それが事業収支計画なのです。

苦手な人も基礎から少しずつ学んでいきましょう！

02 どんな費用が必要なのか？

まずはどこにお金がかかるか見てみます

▼「入」と「出」について詳しく見てみる

まず、「入」の方の売上ですが、売上の算出方法は、基本的に単価×数量です。1個当たりまたは1サービス当たりの代金に売れる数量を掛けます。単価は決まっていても、売れる数量はなかなかわかりません。このため、どの販売ルートで月にどれくらい売れそうか、または売りたいかで仮の計算をしていきます。セット割引をする場合は、セット販売になる率を想定してそれにセット金額を掛けていきます。

販売数量は、スタート時はまだ知名度もなく少ないかもしれませんが、年を追うごとに新規顧客やリピートも増え、だんだん増えていくことが期待されます。このため、年ごとに作っていきます。

次に「出」の方の費用は、大きく原価と販売管理費に分けます。

原価とは、販売するものの仕入れや製造に要する費用です。フェイスマスクを例にとると、使用する和紙や酒精エキス、包装紙等の費用がかかります。これを製造原価と言いますが、製造原価には3つの種類があります。それは、①原材料費、②労務費、③経費です。つまり、製造原価＝材料費＋労務費＋経費となります。

①原材料費

製品を作るのに必要な原料や材料の購入にかかる費用のことです。物語では、酒発酵エキスやフェイスマスク用の和紙、クリームを作るためのクリーム基材、出来上がった製品を入れるための包材等が相当します。

②**労務費**

製造の際に働く人に払う人件費です。物語では、自社で作るのであれば、製造作業をする人に払う給与や残業代、その他社会保険料等が入ります。

③**経費**

機械を買って使うとするとその機械にかかる経費（次項で紹介する減価償却費というものを使います）や電気・ガス・水道代等が入ります。

物語では、「製造委託」という言葉が出てきました。他社に製造委託をする場合は、委託して作ってもらったものを購入することになりますから、製品仕入となり、個別の原材料費や労務費、経費はかからないことになります。

売上からこの原価を引いたものが粗利（荒利）（売上総利益とも言う）です。大雑把に利益を見る時に使います。

次に販売管理費（略して販管費）ですが、これは販売に伴い発生する費用と一般的な管理費の2つからなっています。販売に伴い発生する費用は、広告宣伝費、営業車両費用、営業所費用、物流費、その他が入ります。そして、一般的な管理費には、本社・事務所費、水道光熱費、通信費、給与、その他が含まれます。物語では、店頭で店番をしてくれる人の人件費などは、同じ人件費でも、製造原価ではなく、販売管理費に入ります。営業車両で取扱店に届ける際のガソリン代や、営業車両にかかる費用もこちらに入ります。

粗利から販売管理費を引いたものが営業利益です。本業の儲けを見る時に使います。事業で利益を出すには、まずこの営業利益を黒字にしなければなりません。

営業外費用というのは、借りたお金の金利などです。営業外収益は、逆に余っているお金を貸して金利を儲けた場合です。営業利益からこれら営業外の収支を差し引きすると経常利益が出ます。

そこからさらに特別損失・利益を差し引いたものが税引前利益で、ここから税金を引かれます。こうして最後に残った利益が手元に残った利益です。こうして5種類の利益（①粗利、②営業利益、③経常利益、④税引き前当期利益、⑤当期利益）を算出しますが、それは、どのような種類の利益か分かるようにするためなのです。

図6-01 売上と利益

売上	100
売上原価（原価）	70
粗利（売上ー売上原価）	30
販売管理費	25
営業利益 （粗利-販売管理費）	5
営業外収益・費用	−2
経常利益 （営業利益-営業外収益・費用）	3
特別利益・損失	−1
税引き前利益 （経常利益-特別利益・損失）	2

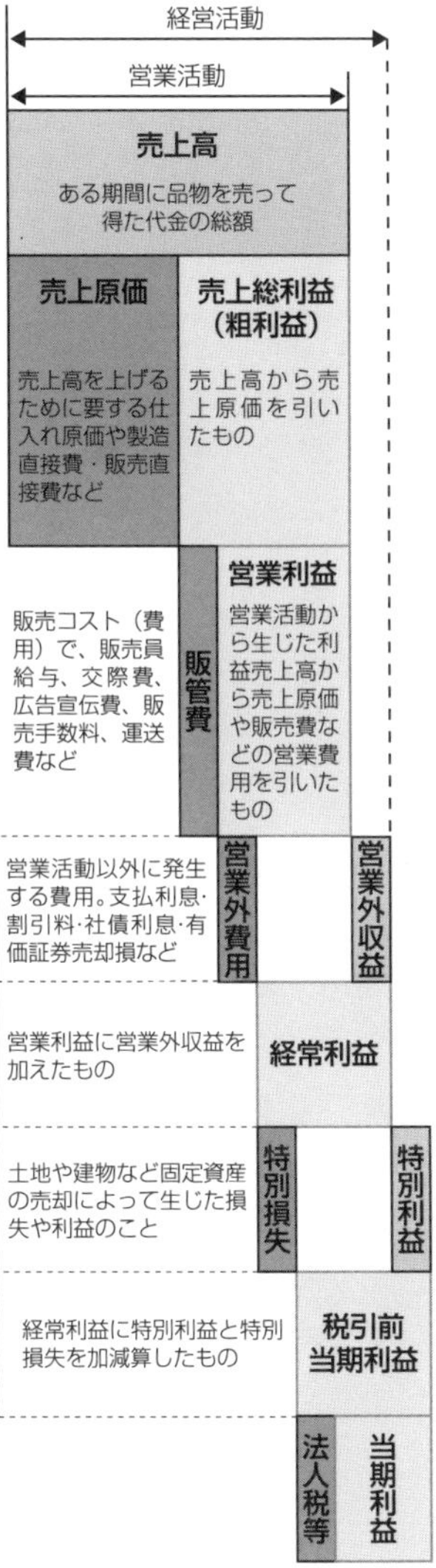
経営活動
営業活動
売上高
ある期間に品物を売って得た代金の総額
売上原価
売上高を上げるために要する仕入れ原価や製造直接費・販売直接費など
売上総利益（粗利益）
売上高から売上原価を引いたもの
販管費
販売コスト（費用）で、販売員給与、交際費、広告宣伝費、販売手数料、運送費など
営業利益
営業活動から生じた利益売上高から売上原価や販売費などの営業費用を引いたもの
営業外費用
営業活動以外に発生する費用。支払利息・割引料・社債利息・有価証券売却損など
営業外収益
営業利益に営業外収益を加えたもの
経常利益
特別損失
土地や建物など固定資産の売却によって生じた損失や利益のこと
特別利益
経常利益に特別利益と特別損失を加減算したもの
税引前当期利益
法人税等
当期利益

03 償却計算をする

▼償却費とは

費用の中に償却《しょうきゃく》費《ひ》というものがあります。利益の計算には必ず必要になりますので、この機会に学びましょう。

償却費とは、事業において「複数年使用し、その価値がだんだんと減っていくものについて、減価償却費計算を適用し、各年に分けて計上する費用」のことを指します。

例えば、会社で機械を購入して使うとしましょう。買った時の値段（取得価格と言います）は100万円で、使用する年数（耐用年数）を5年とします。耐用年数とは、会計上の用語で、5年間使えるものとみなす、という意味です。実際に5年以上使っても一向に構いませんが、費用計算では5年分に分けて計算するということです。ここでは話を簡単にするために定額法（毎年同じ費用に分ける方法です）を適用します。そうすると、機械を買う時にお金は100万円使ってしまいますが、企業会計ルールでは、100万円÷5年＝20万円で、毎年20万円費用が出ていった計算にします。この20万円を減価償却費と言います。

お金は100万円すでに出て行ったのですが、会計上は、毎年20万円とするということです。なぜこのようなことをするのでしょうか？

それは、購入時に100万円使っても5年間は使えるものなので、費用を一時に発生したとみなさないで、使える期間に分けて発生させることにしようという考え方からなのです。

減価償却費計算には、定額法以外には定率法という方法があります。多くの企業では、早めに費

なじみがない人も多いかもしれませんが、考え方を押さえておきましょう！

用を発生させ、利益を少なくすることによって税金を減らせる定率法を選んでいます。

定率法とは、例えば毎年価値が前年の5掛けになっていくとすると、最初の年は50％の費用発生しますが、2年目は50％の50％分なので25％、3年目は、約12.5％分とだんだんと発生費用が減っていきます。掛ける率が同じなので、定率法と呼んでいます。償却期間はモノによって異なります。建物等は30年とか50年間というものもあります。土地は減価償却させません。

償却費には、製造原価に入るものと販売管理費に入るものの2つがあります。工場で使う機械設備等は製造原価に入り、経理で使うパソコンやソフトウェアは販売管理費に入ります。

先ほど見たように、機械を購入した代金の100万円は購入時に現金として出て行ってしまっているのに、償却費計算では5年間にわたって毎年20万円の費用と計算して利益計算するのですから、現金の計算と利益の計算は、結果が異なってきます。

図6−02 償却計算の仕組み

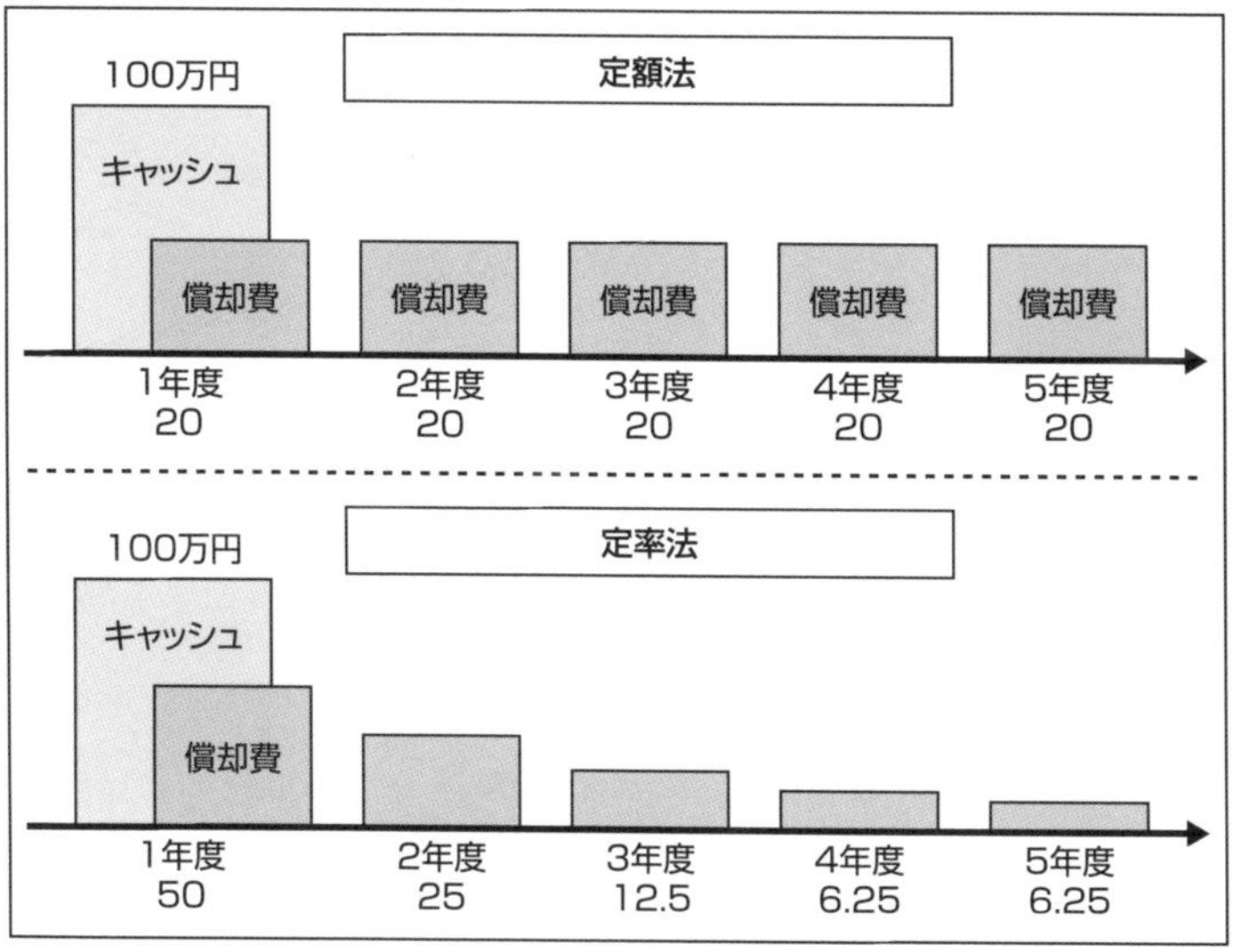
定額法
100万円
キャッシュ
償却費
償却費
償却費
償却費
償却費
1年度
20
2年度
20
3年度
20
4年度
20
5年度
20
定率法
100万円
キャッシュ
償却費
1年度
50
2年度
25
3年度
12.5
4年度
6.25
5年度
6.25

04 どのくらいで儲けが出るか試算する

▼固定費と変動費

売上はゼロからスタートします。しかし、費用は売り上げがゼロでも発生します。例えば人を雇えば売り上げがなくても給料は払わなければなりませんから、一定の金額のところからスタートします。こうした費用を固定費と言います。一方、売上に比例して増えてくる費用もあります。原材料費等がいい例です。製品を作った分使い、費用が発生します。売上は、商品・サービスの単価×数量で出てきます。一方、費用は、人件費、オフィス賃料のように固定的に掛かる費用と、売上原価のように売れた分だけ掛かる費用（これを変動費と言います）に分かれ、2つの合計が費用の総額になります。

たくさん売れて売上が増えてくると売上金額が費用の総額を超えるようになります。このポイントを損益分岐点と言います。損と益の分かれ道だからです。自分の事業の損益分岐点はどこにあるかを把握しておくのは重要なことです。事業をスタートしてから早めに損益分岐点を超える必要があるからです。

後ほど紹介する事業計画のシミュレーションソフトを使って、どのあたりが事業の損益分岐点かを把握しましょう。損益分岐点は、売上高や売上数量で把握すると良いでしょう。

図6−03 損益分岐点

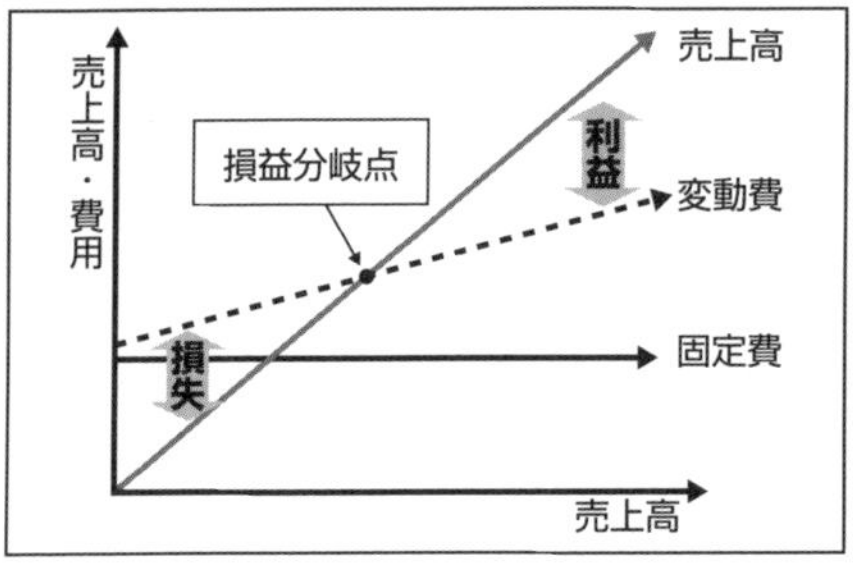

05 事業収支計画の構成要素

損益以外に確認が必要なものがあと2つあります！

▼事業収支計画で必要な3つの要素

①損益

201頁の通り、売上と費用の関係を見て、利益が出ているかどうかを見るものです。赤字、黒字というのは、この損益のことです。

②キャッシュフロー

キャッシュフローとは、キャッシュ（現金）のフロー（流れ）を指しています。会社は赤字でも倒産しませんが、キャッシュがなくなると倒産します。なぜなら、お金が払えなくなるからです。

したがって、会社の収支をキャッシュフローで押さえておくことは大変重要です。さきほど、利益の計算には償却を行うと説明しました。この関係等により利益とキャッシュには差が出ますので、事業収支計画では、キャッシュの計算もします。

③投資回収

3つめの要素が投資回収です。例えば大型の機械を導入したりするとたくさんのお金がかかります。場合によってはお金を借りて買わなければいけないかもしれません。こうした大きなお金を投じることを投資と言います。

投資をする際には、その投資したお金がどの程度早く返ってくる可能性があるかということを、あらかじめ、見通しをつけておく必要があります。これを投資回収計算と言います。

この投資回収計算には、②で出すキャッシュフローを使います。

06 キャッシュフローを回す

▼キャッシュフローの3要素とは

キャッシュフローをひと言で言えば「現金の出入り」です。先の機械購入の事例で言うと、100万円の現金が出ていきましたが、キャッシュフローで計算するとは、現金ベースで計算するということなのです。

ややこしい話ではあるのですが、企業会計は償却計算を含めて利益の計算をしますので、キャッシュフローに戻すに当たっては、一度引いた償却費を足し戻すことによってキャッシュが算出できるようにします。

キャッシュフローは、①営業キャッシュフロー、②投資キャッシュフロー、③財務キャッシュフローの3つです。

本業での儲け、つまり事業をやってキャッシュが儲かったかどうかを示すのが営業キャッシュフローです。また、原材料を購入して、倉庫にしまっておいたり、製品を作って保管しておいたりすると、それはキャッシュではないので、そうした棚卸資産が増えると営業キャッシュフローは減少することになります。また、商品は販売したのですが、現金として回収できてない分が増えると、これもまた営業キャッシュフローが減少するもとになります。一般に、借入金の金利支払いも営業キャッシュフローに含まれます。

そして、工場を建てたり、機械設備を買ったりするなど投資で使ったお金を示すのが投資キャッシュフローです。M&Aなどを目的に他社の株を購入したりするのも投資キャッシュフローに含まれます。投資キャッシュフローは通常はマイナス

期末のキャッシュがマイナスにならないようにします

になることが多いのですが、持っていた株や資産を売却することによってプラスとして表現されるものもあります。営業キャッシュフローに投資キャッシュフローを足したものを、フリーキャッシュフローと言います。手元で自由になるお金だからです。

フリーキャッシュフローがプラスになるかマイナスになるかで、財務キャッシュフローについての方針が導かれます。つまり、フリーキャッシュフローがマイナスになると、キャッシュが減ることを意味していますから、手元の現金が減らないように現金を工面する必要があるわけです。

そして、金融機関などからの借入れ、返済の結果を示したのが財務キャッシュフローです。他の人や会社から出資をしてもらっても財務キャッシュフローになります。

キャッシュフローのプラス、マイナスは、比較的考え方が簡単で、自社からキャッシュが出ていけばマイナス、入ってくればプラスで考えます。

図6−04 キャッシュフロー計算書

キャッシュフロー計算書

①営業活動からのキャッシュ・フロー（OCF）
- 税引き後利益
- 減価償却費　など

②投資活動からのキャッシュ・フロー（ICF）
- 設備投資
- ソフトウェア投資　など

（フリーキャッシュ・フロー（FCF）＝①＋②）

③財務活動からのキャッシュ・フロー

現金及び現金同等物の増減

現金及び現金同等物の期末残高

07 投資と投資回収計算

▼投資とは

投資とは、最初は比較的大きなお金を使うけれども、後でその見返りが戻ってくる可能性のあるもののことを言います。

「比較的大きなお金」は、個人と企業とでは規模が異なります。個人なら１００万円以上かもしれませんが、企業なら１０００万円、１億円、またそれ以上の金額になります。

投資の例としては、企業では、土地を買ったり、工場を建てたり、工場で使う機械設備を購入したり、営業車両や、コンピュータ、コピー機等を買ったり、ソフトウェアを買ったり、他社の株を投資目的で購入したりするケースがあります。物語の事例では、自社生産のための機械設備の購入や、ネット販売のためのソフトウェアの導入などがこれに当たります。

▼投資回収計算をする

投資を決める際には、先に投資したお金が後で元が取れるかどうかを計算します。これを「投資回収計算」と言います。

あなたも個人でパソコンを買ったり、大きな買い物をする時に、それだけのお金を使って元が取れるかどうか考えませんか？　それと同じです。

物語の事例では、自社生産による方式と、化粧品製造メーカーに委託して製造してもらう場合の２つのケースについて投資回収計算をしていますが、自社生産方式では、最初に購入する設備等の金額が大きいため、なかなか元が取れなさそうです。このため、すでに設備を持っている工場に委託製造した方が早く採算が合うという結論になり

企業の規模によって、だいぶ金額や内容は変わりますね！

ました。

もちろん自社生産にこだわる人がいれば、委託生産方式は検討しないかもしれません。ただ、碧の場合は、もともと酒蔵だけでは事業を続けるのが難しそうだ、ということがありましたから、早く採算に乗る方がいいわけです。

このように、投資回収計算を事前に行うと、生産方式だけでなく、直販・卸どちらに重点を置くか等の売り方も含めどういうやり方をした方がいいのかが事前にわかるので、重要な事業運営方針を決めるのに参考になるのです。このため、後で「しまった！」と思うことが少なくてすむはずです。

図6－05 投資項目の例

- 土地購入
- 工場建設・増改築
- 機械設備購入
- コピー機、自動車購入
- ソフトウェア購入
- 投資目的の株式購入
- その他

08 時間価値を考慮した投資回収計算

ちょっと難しいけどプラスα知っておきましょう！

▼お金は時間によって価値が変わる!?

もう少し専門性の高い話をすると、投資回収計算をする際には、お金の時間価値ということを考慮に入れます。例えば、今年の100万円は、銀行に預けておけば来年は100万円よりも少し多くなりますね。それと同様にお金は時間が経つにつれ、価値が変わるものです。そのことを投資回収計算の中に組み込んで考えるのが、時間価値を考慮に入れた投資回収計算です。

投資回収計算には、その時間価値分だけ割引計算を行うための割引率の設定を行います。割引率を設定すると、その分だけ、将来のキャッシュフローが複利計算で割り引かれます。つまり、先に行くほどたくさん割り引かれるということです。

割引率の根拠には、金利や株主への配当等という「資本コスト」という考え方がありますが、資本コストの考え方についてもっと学びたい方は、専門書をひも解いてください。

その割引率は会社ごとに異なりますので、会社に提出する場合は、会社で指定の割引率を使います。通常、5%~20%くらいの範囲の割引率が使われます。そして、その割引率を使って算出される指標に、正味現在価値（NPV：Net Present Value）、内部収益率（IRR：Internal Rate of Return）等があります。

皆さんがダウンロードして使えるExcelシートには、その計算ができるように計算式が入っています。個人事業等で必要のない人は、出てきた数字を使う必要はありません。

また、会社に事業計画書を提出したり、ベンチャーキャピタルといってベンチャー投資を行う会社に対してこうした数値を出す必要のある方は算出された数字を使ってください。

簡便な読み取り方としては、割引率設定が適正であることを前提に、正味現在価値（NPV）がプラスであれば、投資が回収できるということで、マイナスであれば、回収できないということを意味しています。また、内部収益率（IRR）は、割引率よりも大きい数値が出ていれば、投資が回収できることを意味し、小さい数値であれば、回収できないことを意味しています。収益性が悪すぎると計算不能表示が出ます。

図6−06 投資回収計算の例

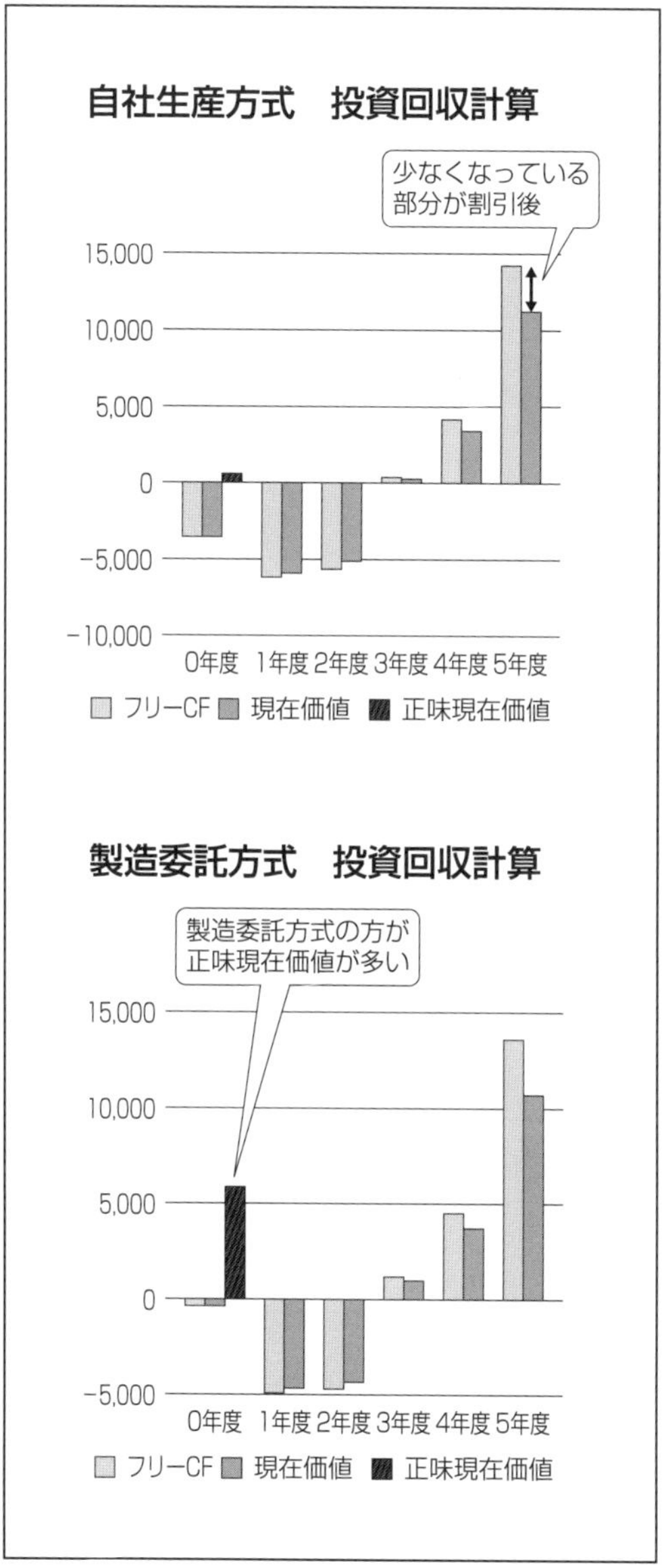
自社生産方式　投資回収計算
少なくなっている部分が割引後
15,000
10,000
5,000
0
−5,000
−10,000
0年度 1年度 2年度 3年度 4年度 5年度
フリーCF 現在価値 正味現在価値
製造委託方式　投資回収計算
製造委託方式の方が正味現在価値が多い
15,000
10,000
5,000
0
−5,000
0年度 1年度 2年度 3年度 4年度 5年度
フリーCF 現在価値 正味現在価値

09 事業収支計画を作る①使い方

▼フォーマットをダウンロードする

ここまで説明したのが事業収支計画を作る上での3要素、損益、キャッシュフロー、投資回収の基礎知識です。

これら3つの要素を確認するための事業収支計画はMicrosoft Excelというソフトに計算式や数式を入れて作ります。2頁に掲載されているURLにアクセスすると事業収支計画を作るためのフォーマットが入ったExcelファイルがあります。基本的な計算式はすでに入れてあって、後は、各事業に個別の条件について計算式や数値を入力すればいいようになっています。

以下にその使い方を説明します。

まず①投資回収計算の前提条件を確認して入力します。②次に売上、原価などの事業収支計算の前提条件を入れます。そして、③事業収支計画表を作成します。収支計算の期間は5年を設定してあります。それよりも長い期間が必要な場合は、年数を伸ばして利用ください。いったん出来上がったら、最終結果の数字を確認しながら、いくつか数値を変えて再計算してみます（これら試算を繰り返すことをシミュレーションと言います）。その結果、一番妥当なものを後ほど述べる期待ケースとして設定します。

ダウンロードできるフォームは、あくまでも企画の初期段階の簡易的な入力フォームですので、詳細な収支計算表は、このフォームに慣れてきたら、あなたの事業に合わせて独自に作り上げてください。いったんこの事業収支計画表が作れれば、アレンジはしやすいでしょう。

専用のファイルをダウンロードして使いましょう

10 事業収支計画を作る② 投資回収計算の前提条件

▼投資回収の前提条件を置く

下の表は、碧が作った事業収支計画書の投資回収の前提条件欄です。投資が必要ない事業については前提条件を入れる必要はありません。会社への新規事業提案の際は、条件が決められていることが多いので、事前に確認してください（経営企画や経理等の部署がよいでしょう）。

投資償却とは、償却の項で説明した償却が必要になる投資項目について、償却年数と償却方法を確認します。

借入金利は、銀行などでお金を借りる際に掛かる金利の率です。金利は銀行によって、また借入期間によって異なりますので、金融機関に尋ねてみましょう。

事業によっては出資金を募って事業を行う場合があります。その場合は、金利は発生しませんが、儲けた利益に応じて配当が必要になるケースがあります。これらの条件は、出資者から聞いて確認しておきましょう。勤めている会社が元手を出してくれる場合、出資金扱いと借入金扱いの場合がありますので、それも確認しておきましょう。

ハードルレートとは、投資回収のところで説明した割引計算の割引率に相当するものです。この割引率以上のいい数字が出ないと事業開始にOKを出さないので、ハードルレートと言います。会社で定めたものがある場合は、その率を使います。

図6－07 投資回収計算の前提条件の例

購入プロセス		
投資償却		償却方法
建物	20年	定額
設備（ソフトウェア）	5年	定額
借入金利	2%	
ハードルレート（割引率）	5%	

条件や金利は会社や金融機関に尋ねてみましょう

11

事業収支計画を作る③
事業収支計算の前提条件

▼4つの前提条件を決めていく

事業収支計算の前提条件は、大きく①売上関係、②原価関係、③販管費関係、④設備投資関係に分けて作成していきます。

図6－08は、碧が作った事業収支計算の前提条件です。物語では、自社生産方式にするか、製造委託方式にするか検討する場面がありましたが、この事例は最終的に選んだ製造委託方式の方です。自社生産方式とは、製造機械などを購入し、作る人を雇って自社で生産するやり方です。一方、製造委託方式というのは、酒発酵エキス等必要な原材料はこちらから提供して、製造と梱包までを他の製造会社に頼む方法で、類似のものを作っている会社がある場合は、販売数量があまり多くない間は、その会社に頼んで作ってもらった方がコストが安く作れることがあり、一般によく行われている方法です。小篠と碧は、2つの方法について事業収支計画表を試算して、得られた結果から作り慣れた近くの化粧品会社に作ってもらう製造委託方式を選ぶことにしました。

①売上関係

商品ラインごとに販売価格（単価）を設定します。フェイスマスク、クリーム、化粧水とそれぞれに設定します。また、ネット販売では送料をもらう必要がありますから、宅配会社から見積もりを取って、送料を設定します。

②原価関係

売上に関わる費用を項目別に金額で表します。原価の項目は、売上の項目と対応するように分けて作ります。売上と原価の関係を分かりやすく保つためです。仕入がある場合は、売上と対応させます。仕入率が決まっている場合は、仕入率を使うケースもあります。また、自社生産方式の場合は、先に見たように、原材料費、労務費、経費に分けて算出します。

③販売管理費

販管費は、人件費やオフィス賃料、光熱費、広告・宣伝費、交通費、通信費等発生する費用項目ごとに原単位と数量を設定していきます。原単位とは、例えば、人件費一人分月額いくらのように、一単位ごとの金額や数量のことを表します。

④設備投資

項目としては、土地、建物、機械設備、ソフトウェア等があります。これも事業ごとに項目と金額が異なるので、必要な設備と投資金額を調べて設定していきます。

事例では、ネット通販用にソフトウェア費用を50万円想定しています。

図6－08 事業収支計算の前提条件の例

売上げ関係

1.「酒発酵エキス和紙マスク」フェイスマスク5枚セットで1,500円
2.「酒発酵エキス化粧水」100ml 1,300円
3.「酒発酵エキスクリーム」50g 1,200円
4. 送料500円／注文は顧客負担、販管費と相殺

原価関係

1. 製造委託費
   ①「酒発酵エキス和紙マスク」フェイスマスク5枚セットで450円
   ②「酒発酵エキス化粧水」100ml 390円
   ③「酒発酵エキスクリーム」50g 360円

販管費関係

- 人件費正社員300千円／人・月
- 車両費30千円／月
- 事務所賃料 20千円／月
- 電気・ガス・水道・電話 30千円／月

投資関係

- 攪拌機、充填機、包装機は、外注先で調達
- ソフトウェア500千円（ネット通販用）

12 事業収支計画を作る④ 事業収支計画表作成

▼事業収支計画入力シートの右半分を埋める

いよいよ事業収支計画表作成です。図6−09〜13の表とダウンロードで入手できるMicrosoft Excelの事業収支入力シートを見ながら読んでください。

まずシートの右側下の「投資回収計算の前提条件欄」に213頁で設定した条件を入力します。次に右上の「事業収支計算の前提条件」欄を入力します。こちらも214頁で設定した前提条件を入力します。そして、それと合わせて、年別の販売数量を入れます。1年目は何個、2年目は何個というように商品ライン別に入れて、表を作ります。この表は、事業によって内容が大きく異なるので、皆さんで作成してください。

①売上欄

物語では、直接小売りする場合と、販売店に卸す場合があるので、小売価格と卸売価格を表示しています。その下に、商品ごとに販売数量が表になっています。さらに、その下に販売金額が表示されていますが、これは、販売単価×販売数量となるように計算式を入力します。そして、各年度の販売金額が算出されているようにします。

②原価欄

物語では、製造委託方式に決めましたので、すべて仕入原価となっています。その原価に売上のところで設定した販売数量を掛ける式を入れて、仕入金額を算出します。それを1年目から5年目まですべて出します。

ここからはエクセルのシートに必要な数字を入力していきましょう！

図6-09 事業収支計画表(シート)の右側(事業収支計算の前提条件と投資回収計算の前提条件)

項目	事業収支計算の前提条件						
			上代（小売値）			下代（卸値）	単位：千円
売上	単価	和紙マスク	1,500円			1,125円	
		化粧水	1,300円			975円	
		クリーム	1,200円			900円	
			導入→		拡大→		展開→
			1年度	2年度	3年度	4年度	5年度
	小売販売数量	和紙マスク	200	1,000	5,000	8,000	16,000
		化粧水	200	500	2,500	4,000	8,000
		クリーム	200	500	2,500	4,000	8,000
	合計		600	2,000	10,000	16,000	32,000
	卸販売数量	和紙マスク	300	500	1,000	2,000	3,000
		化粧水	150	300	500	1,000	1,500
		クリーム	150	300	500	1,000	1,500
	合計		600	1,100	2,000	4,000	6,000
	合計販売数量	和紙マスク	500	1,500	6,000	10,000	19,000
		化粧水	350	800	3,000	5,000	9,500
		クリーム	350	800	3,000	5,000	9,500
	総販売数量		1,200	3,100	12,000	20,000	38,000
	販売金額	和紙マスク	638	2,063	8,625	14,250	27,375
		化粧水	406	943	3,738	6,175	11,863
		クリーム	375	870	3,450	5,700	10,950
原価	仕入原価	和紙マスク	450円				
		化粧水	390円				
		クリーム	360円				
	仕入額	和紙マスク	225	675	2,700	4,500	8,550
		化粧水	137	312	1,170	1,950	3,705
		クリーム	126	288	1,080	1,800	3,420
販管費	人件費	正社員	3,000千円／年				
		パート・アルバイト	1,536千円／年				
	人員						
	正社員数		1.5	1.5	1.5	1.5	1.5
	パート・アルバイト			1	2	3	4
	人件費		4,500	6,036	7,572	9,108	10,644
	オフィス賃料		240	240	240	240	240
	電気・ガス・水道・電話		360	360	360	360	360
	通販サイト維持費		240	240	240	240	240
	車両費		360	360	360	360	360
設備投資							
建物	既存の建物を使用						
設備	機械設備		製造委託方式に付き機械設備なし				
	ハードウェア						
			初期	2年目以降			
	ソフトウェア		500				

投資回収計算の前提条件		
投資償却		償却方法
建物	20年	定額
設備（ソフトウェア）	5年	定額
借入金利	2%	
ハードルレート（割引率）	5%	

※このシートをまとめたファイルのダウンロードについては2頁を参照してください。

③**販管費**

物語では、正社員とパートアルバイトの年間人件費を決めて、それに各年の人数を掛け合わせて人件費を算出しています。その他の費用は、図表の通りです。

④**設備投資**

建物や設備について購入予定金額を入れます。物語では、建物は現在の酒蔵をそのまま使うので新たな建物建設費は要らず、機械も購入せず、ネット通販のホームページ代だけを入力しています。

これで事業収支計画入力シートの右側ができました。

▼事業収支計画入力シートの左半分を埋める

次は左側です。

あなたが新たに入力するのは、基本的に色のついていないセル（枠）だけです。色がついているところ（左頁ではグレーの部分）はあらかじめ計算式が入っていますから、自動的に計算してくれます。また色のついたセルはいじらないようにします。計算式が壊れてしまうからです。元のフォーマットを壊さないように、一旦別のファイル名で保存してから作業に取りかかりましょう。

さて、横の列は、期間になっていて、0年度からスタートし、5年度まであります。0年度は、準備期間です。ですので、発生する費用は、通常、投資（建物、設備、ソフトウェアなど）だけです。経費は入れないようにします。

a．事業収支

ダウンロードして使うExcelシートは、右側に商品A、B、Cの単価や年別の販売数量等必要な項目を入れると、自動的に左側の白いセルに数字が入るように参照式が入れてあります。自分で右側のシートを新たに作り直す人は、左側のセルで右側の計算結果を参照するように作り変えてください。計算式と参照方法が正しければ、白いセルに金額が入ります。

図6－10 事業収支計画表の例（事業収支）

単位：千円

項目			0年度	1年度	2年度	3年度	4年度	5年度
事業収支	売上高	売上高計	0	1,419	3,875	15,813	26,125	50,188
		和紙マスク		638	2,063	8,625	14,250	27,375
		化粧水		406	943	3,738	6,175	11,863
		クリーム		375	870	3,450	5,700	10,950
	売上原価	売上原価計	0	488	1,275	4,950	8,250	15,675
		（原価率）	0.0%	34.4%	32.9%	31.3%	31.6%	31.2%
		和紙マスク		225	675	2,700	4,500	8,550
		化粧水		137	312	1,170	1,950	3,705
		クリーム		126	288	1,080	1,800	3,420
	売上総利益（粗利）		0	931	2,600	10,863	17,875	34,513
	販管費	販管費計	0	5,800	7,336	8,872	10,408	11,944
		（販管費率）	0.0%	408.8%	189.3%	56.1%	39.8%	23.8%
		人件費		4,500	6,036	7,572	9,108	10,644
		オフィス＆光熱費		1,200	1,200	1,200	1,200	1,200
		広告宣伝費他						
		減価償却費	0	100	100	100	100	100
	営業利益		0	-4,869	-4,736	1,991	7,467	22,569
		（営業利益率）	0.0%	-343.2%	-122.2%	12.6%	28.6%	45.0%
	営業外収益							
	営業外費用	営業外費用計	0	155	145	130	110	90
		支払金利		155	145	130	110	90
	経常利益		0	-5,024	-4,881	1,861	7,357	22,479
		（経常利益率）	0.0%	-354.1%	-126.0%	11.8%	28.2%	44.8%
	特別利益							
	特別損失							
	税引前当期利益		0	-5,024	-4,881	1,861	7,357	22,479
	法人税等		0	0	0	744	2,943	8,991
	税引後当期利益		0	-5,024	-4,881	1,117	4,414	13,488
		（税引後当期利益率）	0.0%	-354.1%	-126.0%	7.1%	16.9%	26.9%

※このシートをまとめたファイルのダウンロードについては2頁を参照してください。

上から売上高（商品別）、原価（商品別）、売上総利益（粗利）、販管費（項目別）、営業利益、営業外収益、経常利益、特別損益、税引前当期利益、法人税等、税引後当期利益という順に計算されて出てくるようになっています。

なお、販管費の欄に減価償却費の欄がありますが、投資からの自動計算になっていますので、ここではセルをいじらないようにします。

営業利益は、自動計算で出てきます。営業外収益は、特にない場合は入力の必要はありません。金利は、借入金からの自動計算です。経常利益も自動計算です。特別利益・損失は、入れなくても構いません（固定資産の除却などのため）。税前利益、法人税、税引後利益まで自動計算です。法人税は赤字が出るとゼロ、利益が出ると実効税率40％の税率が掛かるように設定してあります。累積損失は簡略化のため計算に入れていません。

b．キャッシュフロー

次に事業収支の欄の下にあるキャッシュフローです。営業キャッシュフローは、税引後利益や減価償却費等からの自動計算です。投資キャッシュフローは、事業収支の前提条件で設定された投資項目と投資金額を年別に手入力します。特にソフトウェア等追加投資が必要なものについては、年度別に入れていきます。

資本金、借入金の欄は、物語では、碧が出す頭金の他に町の仲間から出資金を募ることにしていますから、その合計金額を、また、借入金の欄は、銀行から借りるお金の額を入れてあります。仮に全額会社が出資してくれる場合でも、当事業を立ち上げていくのにどのくらいの資金が必要なのか、全額借入を前提に数字を作ってみましょう。この金額設定を行うポイントは、ネットキャッシュ残高欄が1年目〜5年目のいずれの欄でもマイナスになることがないようにする、ということです。

図6－11 事業収支計画表の例（キャッシュフロー）

項目			0年度	1年度	2年度	3年度	4年度	5年度
キャッシュフロー	営業キャッシュフロー		0	-4,924	-4,781	1,217	4,514	13,588
	投資キャッシュフロー		-500	0	0	0	0	0
		設備（原価分）						
		設備（販管費分）	-500					
	フリーキャッシュフロー		-500	-4,924	-4,781	1,217	4,514	13,588
	財務キャッシュフロー	資本金	12,000					
		借入金	8,000					
		借入金元本返済		-500	-500	-1,000	-1,000	-1,000
		借入金残高	8,000	7,500	7,000	6,000	5,000	4,000
		配当金						
		合計	20,000	-500	-500	-1,000	-1,000	-1,000
	ネット・キャッシュフロー		19,500	-5,424	-5,281	217	3,514	12,588
	キャッシュ残高		19,500	14,076	8,795	9,012	12,526	25,113

※このシートをまとめたファイルのダウンロードについては5頁を参照してください。

企業は現金がなくなってしまうと、倒産してしまいますから、ネットキャッシュ（手元に残っているお金）がプラスになるように資本金＋借入金の額を調整するのです。借入金は、最初に全部借りることにする方式と途中で借り増しする方法とがありますが、物語では、最初にまとめて借入をする方式にしました。

借りたお金を途中で返す計算を行うことも可能です。物語では、銀行からお金を借りる条件として、毎年約状弁済で一定金額を返済していく計画になっています。借りたお金は、いつかは、全額返済しなければなりません。

c．償却費計算

償却費の計算は、投資回収計算の前提条件で置いた条件と、事業収支の前提条件で置いた条件及びキャッシュフロー（b）の投資の項目で置いた金額から自動計算されます。次頁の図6－12では、自社生産方式を検討した際の償却費計算例が紹介

図6－12 事業収支計画表の例（償却費）

自社生産方式の場合の償却計算例

- 機械設備を購入するので、原価に償却費が入ってくる
- ソフトウェアの償却で、販管費にも償却費が入る

項目		0年度	1年度	2年度	3年度	4年度	5年度
償却費	減価償却費		700	700	700	700	700
	設備当期償却額（原価）		600	600	600	600	600
	償却額累計		600	1,200	1,800	2,400	3,000
	簿価	3,000	2,400	1,800	1,200	600	0
	設備当期償却額（販管費）		100	100	100	100	100
	償却額累計		100	200	300	400	500
	簿価	500	400	300	200	100	0

されています（186～187頁は製造委託方式）。

機械を300万円で購入し、5年の定額法で償却していき、毎年60万円が原価の中の費用に算入されるので、原価サイドの償却計算に入っています。また、販管費サイドでは、ソフトウェアを50万円で購入し、毎年10万円ずつ5年の定額法で償却するため、10万円が販管費の費用に入れられるようになっています。毎年償却していくので、残りの簿価（帳簿上の価値）は、その分、だんだんと減っていき、5年後にはいずれもゼロになる計算になっています。ただし、現在の法律では、1円分だけ簿価として残すようになっています。

d．投資回収計算

償却費計算のすぐ下にあるのが投資回収計算です。必要のない人はこの欄は使わなくてもけっこうです。碧の事業計画書では、割引率は5％のまま使っています。その結果、各年のフリーキャッシュフローを、割引率を年ごとに複利計算に使っ

て割り引いて、現在価値を計算し、その各年分の合計として正味現在価値が表示されています。現在価値は、売上が小さい1年目、2年目は赤字ですが、3年目から黒字化し、その後、だんだん数字が大きくなっていっています。その下に内部収益率（IRR）も計算されています。この事例では、正味現在価値がプラスになっているとともに、内部収益率も割引率よりも値が大きいので投資価値ありと判断されます。

図6−13 事業収支計画表の例（投資回収／製造委託方式の場合）

投資回収	現在価値		-500	-4,689	-4,337	1,051	3,714	10,646
	正味現在価値		5,885					
	割引率	5.0%						
	内部収益率（IRR）		21.9%					

※このシートをまとめたファイルのダウンロードについては2頁を参照してください。

e．グラフ表示

以上の事業収支計算結果が、年度別に売上高、経常利益、累積経常利益の3種類のグラフで表示されるようになっています。これにより、いつから黒字化するか、何年度目で累損が回収するかがぱっと見てわかります。後でこのグラフを事業計画書に貼りつけて使用します。

物語では、3年目から経常利益が黒字になり、4年目で累積経常利益が黒字化する様子が見て取れますね。

図6−14 事業収支の推移のグラフ表示の例（製造委託方式の場合）

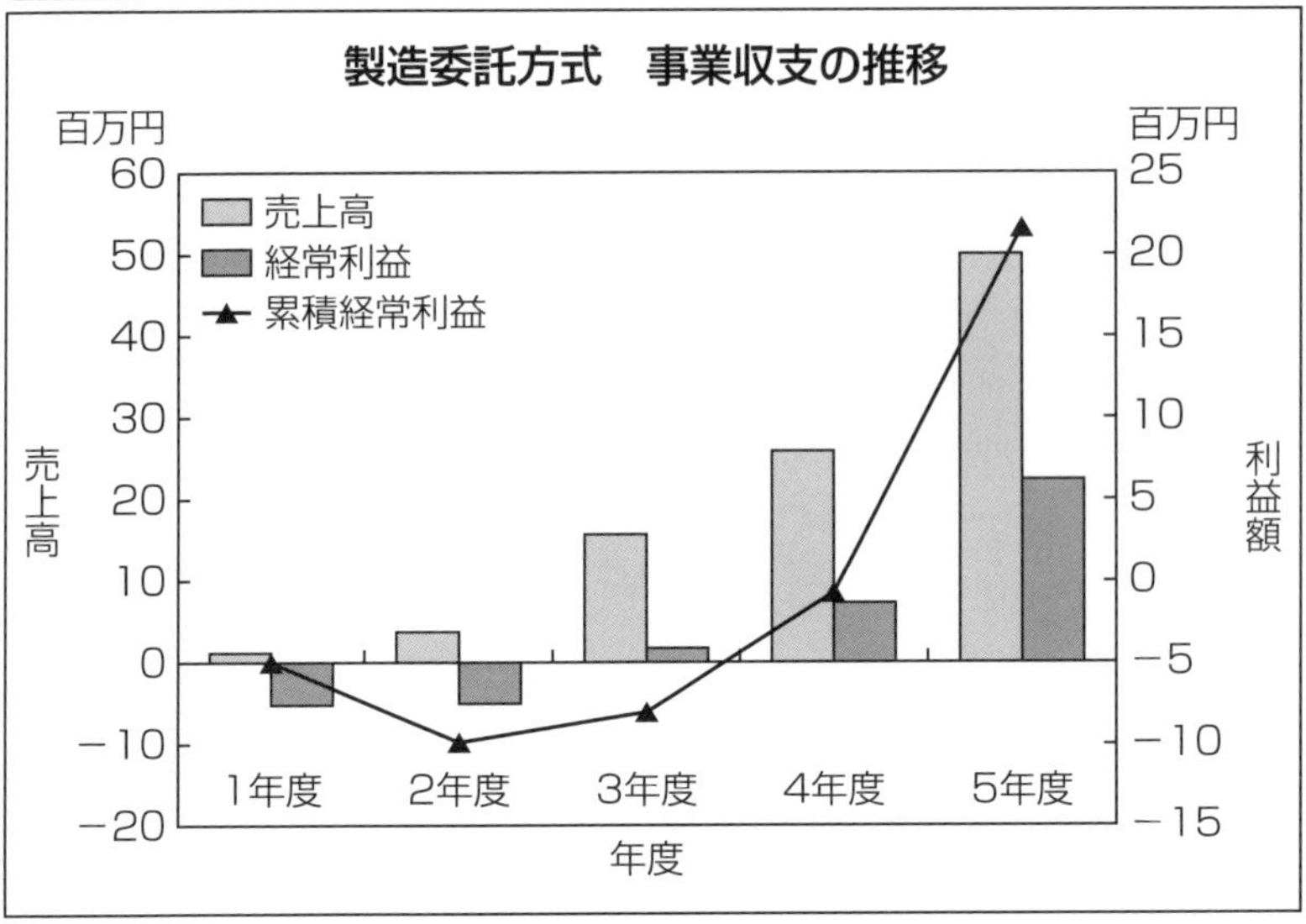

STEP

7

アクションプランを立てる

STORY 7 本当の味方は…

STORY 7
本当の味方は…
イスは
あるだけ出しといたよ
ありがと！
お母さん
住吉のおばさんに
声かけてくれた？
お土産は
数大丈夫？
大丈夫よ～

そっ・・・
あっ…
よかった
信金の帝松さんも
来てる
ほっ
でも
小篠さん…
まだ来てない
お姉ちゃん
そろそろ
時間だよ
わ
わかった
ガッ

皆様 お集まりいただきまして ありがとうございます
花垣碧です
今日皆さんにご提案するのは単なる新商品ではありません
ざわっ
恵那酒蔵で化粧品を作るって聞いたぞ
ええっと
もちろん化粧品は化粧品なんですけど

私が作りたいのはこの町の未来です
ざわっ
そして今からご説明するのが私が思い描いている事業計画です

これがその試作品です
へえ・・・
もうできてるのね
化粧水は・・・
売り上げ計画は・・・
事業収支計画 その2 製造委託方式 販売伸張ケース
製造委託方式 事業収支の推移
細かく計画してるのね・・・
なるほど
これでこの町に活気をとり戻しましょう!

ふう…
以上で
ひと通りの説明は
終わりです
ほぉ…
そこでお願いがあります
事業を始めるには
お金が必要です
あと1000万円です
ざわっ
い、
1000万円!?
悪いけどさ　碧ちゃん
おめーさんのことは
ちっちぇえ頃から
よーく知ってる
信用もしてる
でも まだ何も実績もない
あんたに
いきなり金を預けるって
いうのもさ

シ――――ン
・・・
もう
だめかもしれない
ぎゅっ
俺は出すよ
鶴吉さん！

うたがってすまなかった
ずっと見ていて気持ちはよくわかった
っ鶴吉さん…
気持ちだけじゃぁどうしようもねえと思っていたけど今日の話を聞いて、計画もよくわかった
俺は100万円出すよ
ざわ…
ざわ…
ガタ…
鶴吉さんが出すんだったら私も…10万でもいいかしら

俺も出すよ
私も10万くらいなら…
儲かったら返ってくるわよね
私も
俺も
私も
オレも
私も
わしも
で では
借入金の800万円と合わせて残りはこちらで検討しましょう

そうとなったら
後の体制も決めて
おかなくちゃな
小篠さん！
なんだよ
泣いてるのか？
そんなわけない
じゃないですか
武者震いですよ
さあ
ぐずぐずしてる
ヒマはない
当然 代表取締役は 花垣碧
おまえさんだな
出資金を資本金
として会社を設立するんだ
えっ！
ダイヒョウトリシマリヤク？

そうさ
株式会社には
代表取締役が必要だ
あんた以外
誰がなるんだ？
ぱちくり
はぁ
出資金以外の
銀行からの借入金は
負債として
毎年金利を払いながら
定額で返済していく
借入（負債）
銀行
新会社
金利を払いながら毎年定額を返済
出資
配当
出資者の皆さんには
儲かれば配当金として
配当を出す
じゃあ
俺も配当が
もらえるの？
もちろん
でも儲かったらの話だが
当然 会社が儲かったかどうかは
毎年決算書を作って
株主の皆さんに
お知らせしますよ
へぇ
俺達
株主かぁ
じゃあ 碧ちゃん
しっかり儲けて
バンバン配当
出してよ！
わっ

ええ
皆さんのご期待に沿えるよう頑張りますので
応援よろしくお願いします
パチ パチ パチ
パチ パチ パチ パチ
ありがとうございました

負けん気だけ強くって危なっかしいお嬢さんが
すっかり立派になってね
鶴吉さんにはうまい酒を安心して作り続けてもらいたいですからね

これで
ここでの私の仕事も
一段落しましたね

01 実行体制と人員計画を立てる

▼発展段階に応じた体制を描く

事業をスタートさせる時に、どのような体制、布陣で臨むかを決めておくのが立ち上げ体制です。立ち上げ時に必要な役割を抽出し、役割の束でまとめて、それぞれに担当者を割り当てていきます。

物語では、新しい事業を酒蔵と別に新しい会社組織として立ち上げ、花垣碧がその新しい会社の代表取締役に就任することになりました。これは、万一新規事業がうまくいかなくても酒蔵にその影響が及ばないための配慮と、新たに出資者を募るので、既存の会社組織とは別にしておいた方が収支がはっきりするという判断によるものです。

下図は、碧が描いた新会社の体制案です。事業は、178頁で想定したような発展段階を想定していますから、時期を、準備期と導入期、拡大期の3つの時期に分けて考えてあります。

図7−01 立ち上げ時の実行体制の例

事業責任者

- **代表取締役**　花垣　碧

経営体制

- **準備期**：代表と調達・製造責任者の2名体制で運営
  - ・調達・製造責任者は、当面醸造部門の責任者を兼ねることとする
- **導入期**：店番兼接客担当をパート・アルバイトで運営
- **拡大期**・発展期は、業務量に応じて人員体制を強化

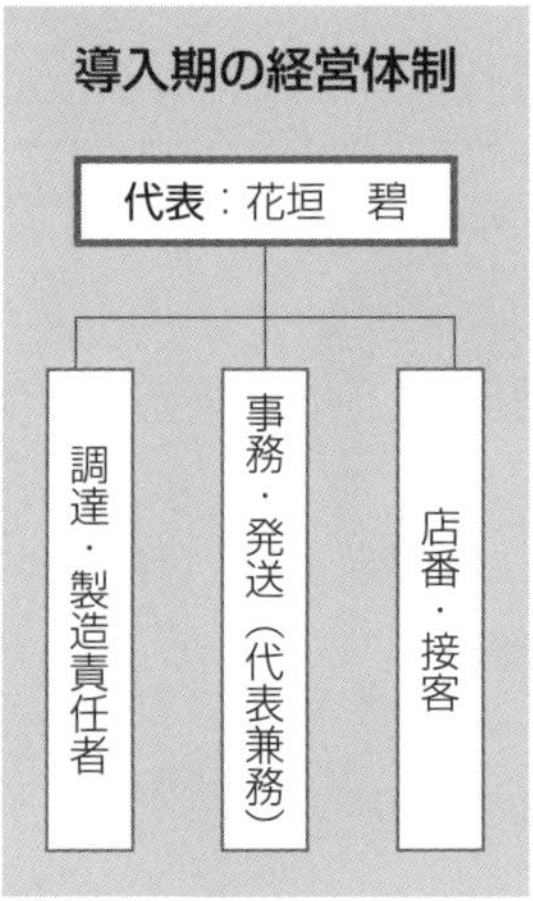
導入期の経営体制
代表：花垣　碧
調達・製造責任者
事務・発送（代表兼務）
店番・接客

小規模の計画であれば、2～3人での体制で考えてみましょう！

02 想定されるリスクって？

備えがあれば、いざという時に慌てません！

▼うまくいかないことを想定するメリットとは

事業計画を立てる時は、通常、うまく行く状況を想定します。そしてその通りに行くのが一番望ましいのですが、実際には、いろいろと想定しないような事態が起きてきます。ベストなシナリオだけ想定していると、思わぬ事態にあたふたし、対応を間違えかねません。

ですから、あまり歓迎したいことではないのですが、いろいろと良からぬことが起きたらどうなるか、どうするかを、あらかじめ想定しておきます。そうすると、万一うまく行かないことがあっても、「ああ、やはりこういうことが起こったか」と判断して、冷静に対応することができます。

また、融資や出資を仰ぐ場合には、先方からさまざまな質問をされます。彼らは、いろいろと経営者や起業家を見てきて、うまく行かなくなった事例をたくさん見てきていますから、あなたの事業についても同様のことが起きたらどうなるか、どうしようとしているかを知りたいと思っています。そうした質問に応える準備をしておくのも、このことに取り組む目的のひとつです。

▼リスクの洗い出しのコツ

リスクを洗い出す時は、まず自分で思いつくことを抽出します。しかし、それだけで終わらせず、親しい人、信頼できる人に「どんなリスクが考えられる?」と尋ねてみるといいでしょう。そうすると、自分では想定していなかったリスクが抽出されることがあります。

物語では、碧は、小篠のアドバイスをもとに左図のようなリスクとその対応を考えました。

図7－02 想定されるリスクと対応策案の例

	想定されるリスク	対応策案
1	・アトピーなどの症状が悪化した等のクレームが来る可能性あり	・基本的に代表が対応し、返金等の誠意を示す行動は取るが、弁償・治療費負担には至らないように交渉する
2	・代金回収できないエンドユーザーが出てくる	・基本的に、店頭は現金商売、ネットはクレジットまたは代引き（代引き手数料は顧客負担）で信用取引は行わない
3	・販売店から売れ残りの回収を求められる	・取扱い当初は委託販売を行うが、３ケ月以上取引が続く場合は、買取に移行してもらう ・委託販売の手数料と買取の場合の粗利とは差をつけ、買取へ導く
4	・通販サイトから購買履歴等のデータが紛失する	・１回／月のペースでレポートを出してもらうとともに、顧客データ、履歴データは、Ｅｘｃｅｌでバックアップを取る
5	・通販サイトが事業継続できなくなる	・なるべく大手で、事業継続性の信頼できる会社を選ぶ
6	・注文が多くなり、生産が追いつかなくなる	・雑誌掲載時などは事前に増産対応を取り、在庫をふだんよりも多めに持つようにする ・委託工場のキャパシティを確認しておき、頻発するようであれば、自社生産に切り替える（3ケ月毎に見通しを立てる）

03 うまくいっているかをチェックする

▼PDCAで管理する

事業計画書は、計画を作る時にだけ使うものではありません。事業の準備段階やスタートしてからも、事業計画書通り進んでいるか、常に確認していく必要があります。それは、事業を推進する自分のためだけではなく、出資してくれた人やお金を貸してくれた人にも、その後の状況を報告する必要があるからです。

こうしたことを、「進捗《しんちょく》管理」と呼びます。PDCAという言葉を聞いたことがある人が多いと思います。PはPlan（計画）、DはDo（実行）、CはCheck（確認）、Aは（Action）（修正行動）の頭文字を取ったものです。事業計画書を作った段階では、P（Plan）の段階ですから、皆の協力を得てそれを実行（Do）し、実行したら、計画通り行ったか確認（Check）する必要があります。そして、思ったより売れたり、思ったほど売れなかったりと、プラスでもマイナスでも、結果が出たら確認を行い、その結果、計画を見直したり、手直ししたりします。

▼確認のためのマイルストーンの置き方

もともとの計画があいまいだと、後で確認が行いにくいですね。ですから、この確認を行いやすくするために、事前に、通過ポイントの目印を置いておきます。それを一里塚、マイルストーンと言います。マラソンなどでも、10キロ地点は、何分後に通過、20キロ地点は何分後に通過等の目標を立てますよね。それと同じです。

マイルストーンには、売上高や利益等の金額で表すものと、初めての利用者の反応やリピート率、セット購入率等のように指標で把握するものの2種類があります。

事業収支計画では、売上高、利益の目標が出てきますので、事業収支計画を立てることで確認できるマイルストーンは作れます。

一方、利用者の反応、リピート率等は事業収支計画にまでは盛り込めませんから、それとは別に、目標を定めておきます。最初は確たる根拠がなくても構いません。まず、想定する目標を定めてみるのです。そして、実績を取ってみて、当初想定と違っていたら、見直していけばいいのです。

▼最初は少し外れてもいい

マクドナルドなどのファストフード店では、新商品を投入する際は、必ず目標指標を置きます。例えば、1店当たり1日何食とか、全お客様に対する注文客数の割合などです。彼らは、そういうことを繰り返し行ううちに、当らずとも遠からずの目標が立てられるようになります。

専門にそういうことを行っている人達ですら、そんなにぴったりとは当たらないのですから、初めて事業を行う人がぴったり当てられるはずがありません。ですから、最初は少し外れてもいいのです。ただ、大切なのは、販売してみて、実績を取って、それを分析して、計画にフィードバックをかけることです。これによって、だんだんと計画の精度を上げていくことができます。それを信じて、見通しを数字で予測できるようになれるといいのです。

確認（Check）を行う間隔ですが、3ケ月や半年は長すぎるので、ふつう1ケ月単位で把握できるようにします。ですから、最初の1年分は、月単位に計画をブレークダウンする必要があります。

エピローグ

事業計画書にまとめる

STORY 8 また新酒の頃に

この商品
この土地を全国に
広めること
そうすれば
彼もきっと
目にするわ

STORY 8
また新酒の頃に
恵那酒
さすが小篠さんの指導をばっちり受けただけのことありますね
え…
知ってるんですか？小篠さんのこと
はぁ知っていると言っても私も雑誌とか本とかネットで見ただけですけど…
ご存知ないんですか？
えええ
何だか東京の方でビジネスをしていたとは聞いていていたような聞いていないような…

小篠さんと言えば
伝説の起業家って
世間を騒がしていたじゃ
ないですか！
ガサ
ガサ
実は僕もファン
だったんですよ
ほら
『今月の起業家』小篠博樹
小篠博樹さん
ぴっくり。。。
ほわぁ…
でも　いつごろだったかな…
突然失踪なんて騒がれて
いましたよね
会社はすべて人に譲って
今は悠々自適で海外生活
なんて思ってたけど
うちみたいな田舎に
いたとはね……
あれっ？？

伝説の起業家って何？
なんで
そんな大切なことを
今まで黙っていたの？
花垣さーん？
だっ
はあ
はあ

あの方は もういっちまったよ
鶴吉さん！
知ってたの？
3年前 だったかなぁ
ふらっとあの人が 親父さんを訪ねて うちに来たのは
うちの酒が 大好きだって言ってたな

それから
時々飲むようになって
馬が合うのか
昔っからの知り合いみたいに
気が合って
親父さんが冗談で
そんなにうちの酒が
好きならこっちに住めよ
って言ったら
あの人
本当に越してきてさ
親父さんが
あんなことになって
蔵が立ちゆかなく
なったって知って
一番に飛んで来てくれた
そこへ戻ってきたのが
お嬢さん
というわけだ
そうだったの…

へたっ…
仕事がひとつ終わったってことだな
ふらっと来た時みたいにいなくなる時も突然だなぁ
そうそう
ガサ
手紙を預かっているよ
カサ
前略
この手紙を読む頃には、わたしはもういないと思う。

今回の結果、まずはおめでとう。
しかし、これはまだゴールではない。
出発点に立ったに過ぎないんだ。
ふふっ
だまっていて悪かった。
もともと大好きな酒が飲めなくなるのは辛いと
思って引き受けたので、正直、ダメだったら
手を引こうと思っていた。
最初は手に負えないと
思ったけど
はは…
荒削りで、あきらめが悪い、
いや、粘り強い姿勢に、こっちも本気で指導した。
少々厳しかったかもしれないが、よくやった。
私は、君がもともと持っている才能にちょっと
水をあげて開花させてあげただけかもしれない。
ただ、これからが君の真価が問われるところだ。
いつかまた戻ってきて、君の新規事業が花開いている
姿を見せてもらうのを楽しみにしている。
成功を祈る。
小篠

お礼もさせて
もらえないなんて…
本当にそう
思うかい？
この商品
この土地を全国に
広めること
一番の恩返しは
お礼を言うことじゃ
ないだろう？
そうね
そうすれば
彼もきっと
目にするわ
まぁ
のんべえのあの人の
ことだからさ
新酒ができる頃に
ふらっと帰って来る
かもしれねえなあ

01 まとめるコツと注意点

▼ミスのないプレゼン資料作りが必要

事業計画書は、自分の考えをまとめるためだけでなく、お金や商品・原材料取引等の面で長期的に協力してくれる人達に説明・理解を求めるためにも必要です。その際、資料をまとめて、ひとつの事業計画書として説明を行います。

事業計画書を人前で説明する（プレゼンテーションする）ことを事業計画プレゼンと言います。

事業計画プレゼンの際は、聞き手は、映画やコンサートの観客と同じ気分になります。演奏後に観客に拍手をしてもらうには、途中で間違いやミスは許されませんね。事業計画プレゼンもそれと同じで、プレゼン後に、「いい事業計画ですね。ぜひ協力させてください。」と言ってもらうには、いいプレゼン資料作りが不可欠です。ここからは、そうした際の資料作りや準備の留意点を解説します。

▼（1）テンプレートの活用

事業計画プレゼンでは、プレゼンソフトを使います。MicrosoftのPowerPointというソフトが一般的です。ここからは、そのソフトが皆さんのパソコンにインストールされていることを前提に話を進めます。お持ちでない方は、そのソフトを自分で入手するか、Wordなど代わりのソフトを使う場合は、自分で書き写して使ってください。

本書では、読者の皆さんにインターネットのサイトからPowerPoint用の書式ファイルをダウンロードできるようにしています。この書式ファイルをテンプレートと呼びます。テンプレートには、各ステップで作成するページとその汎用的なフォーマット（表など）が組み込まれています。

図8−01 汎用テンプレートの内容（抜粋）

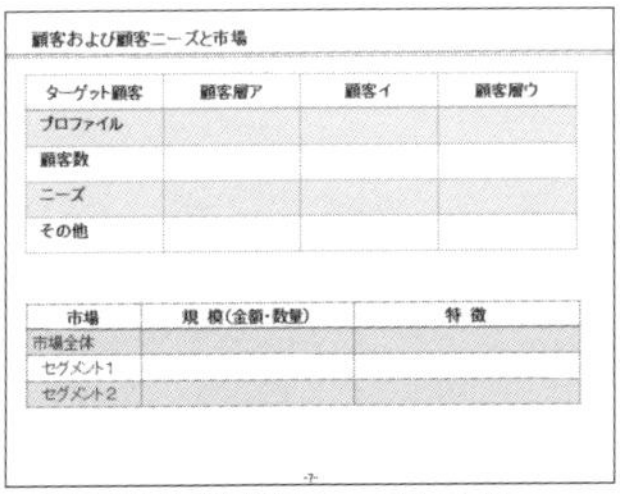

●顧客および顧客ニーズと市場

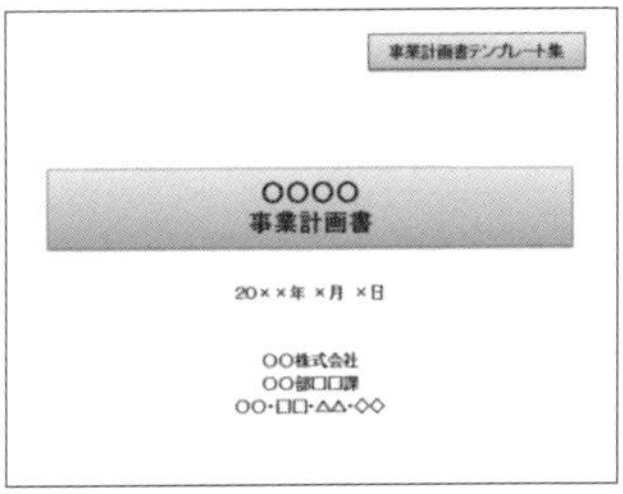

●表紙

●競合と当該事業の重要成功要因

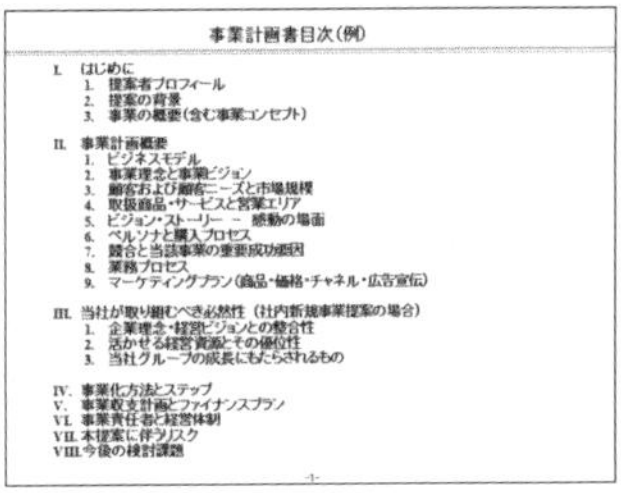

●目次

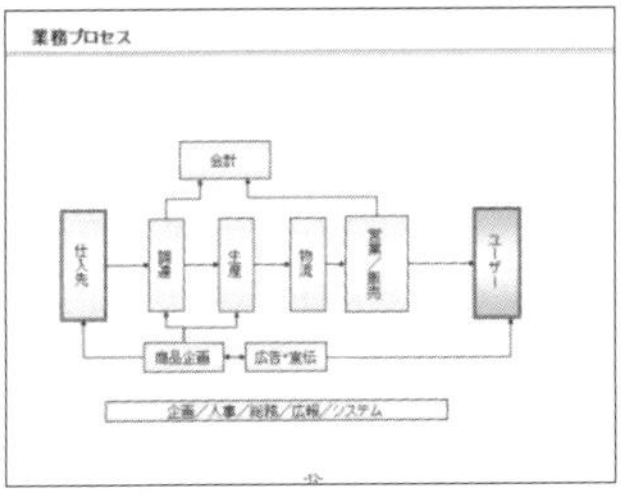

●業務プロセス

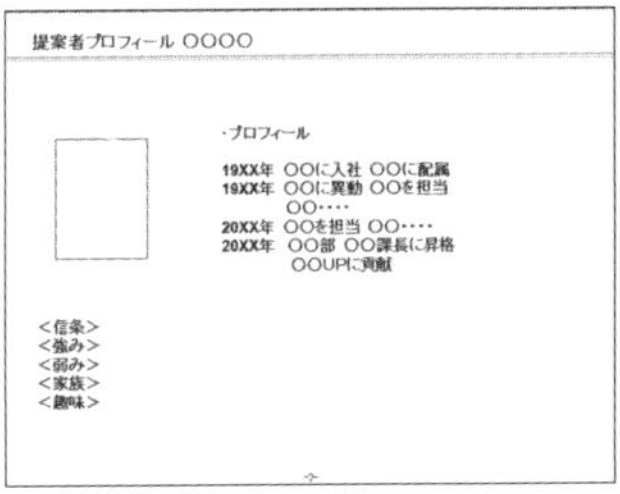

●提案者プロフィール

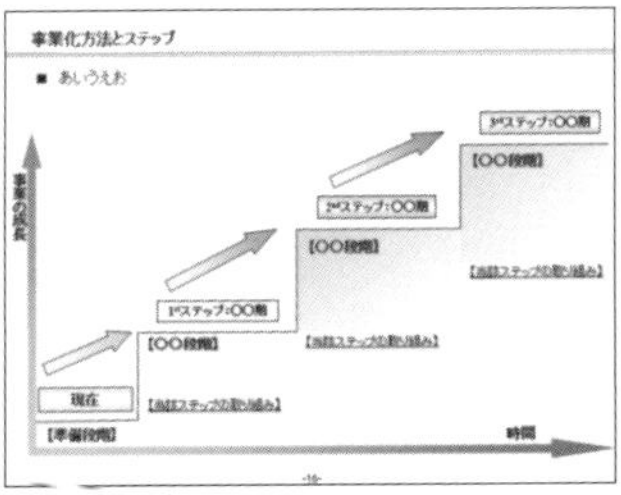

●事業化方法とステップ

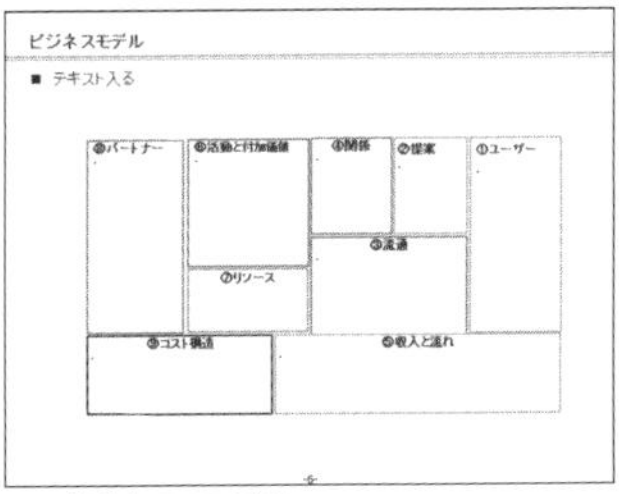

●ビジネスモデル

※このテンプレートをまとめたファイルのダウンロードについては2頁を参照してください。

▼(2) オリジナルテンプレートの勧め

ダウンロードしたテンプレートを埋めて行ってもらうと、ひと通りの要素は揃います。ただ、どんな事業にも合うように汎用的に作ってありますから、見栄えが良くはありません。せっかくプレゼンするのですから、ビジュアル面の工夫もしましょう。

見栄えを改良するには、大きく言うと2通りの方法があります。「デザインテンプレートを使う」方法と「オリジナルテンプレートを作る」方法です。

簡単なのは「デザインテンプレート」を使うことです。PowerPointのソフトの中に、「デザイン」を選ぶ機能がついていて、いくつかのパターンが紹介されています。気に入ったパターンがあれば、それを選ぶといいでしょう。表紙と本文の組み合わせのパターンになっています。ただし、バリエーションが限られていますから、事業の雰囲気やテイストに合っているとは限りません。

気に入ったパターンがなければ、次のオプションとして、インターネット上のデザインテンプレートを探します。「パワーポイント　デザインテンプレート」と入れてネットで検索すると、有料、無料のもの、ともにいろいろと出てきます。気に入ったのがあれば、どれか選んで使うといいでしょう。

もうひとつ、「オリジナルテンプレート」を作る方法があります。

デザインテンプレートは、簡単でいいのですが、筆者のこれまでの経験から言うと、なかなかテイストに合ったものは見つかりにくいものです。そこで、少々手間ですが、自分でオリジナルテンプレートを作ることをお勧めします。

PowerPointの機能に「スライドマスター」というものがあり、それを編集するとオリジナルテンプレートが作れます。「標準デザインスライドマスター」と呼ばれる本文用のスライドと、「タイトルスライド」と呼ばれる表紙用のスライドに大きく分かれます。（ソフトウェアのバージョンにより、呼び名が異なる場合があります）

このスライドマスターでは、背景に色をつけたり、文字の字体や大きさを変えたり、写真やイラスト入れたり、ページ番号をつけたりすることができます。詳しい機能の使い方は、ソフトウェアのマニュアルをご覧ください。

碧も、初めてながら、オリジナルテンプレートに挑戦してみました。地方の酒蔵という雰囲気と、化粧品というイメージを出そうとしました。

図8−02 基本のデザイン（上）と、オリジナルテンプレートを使用した例（下）

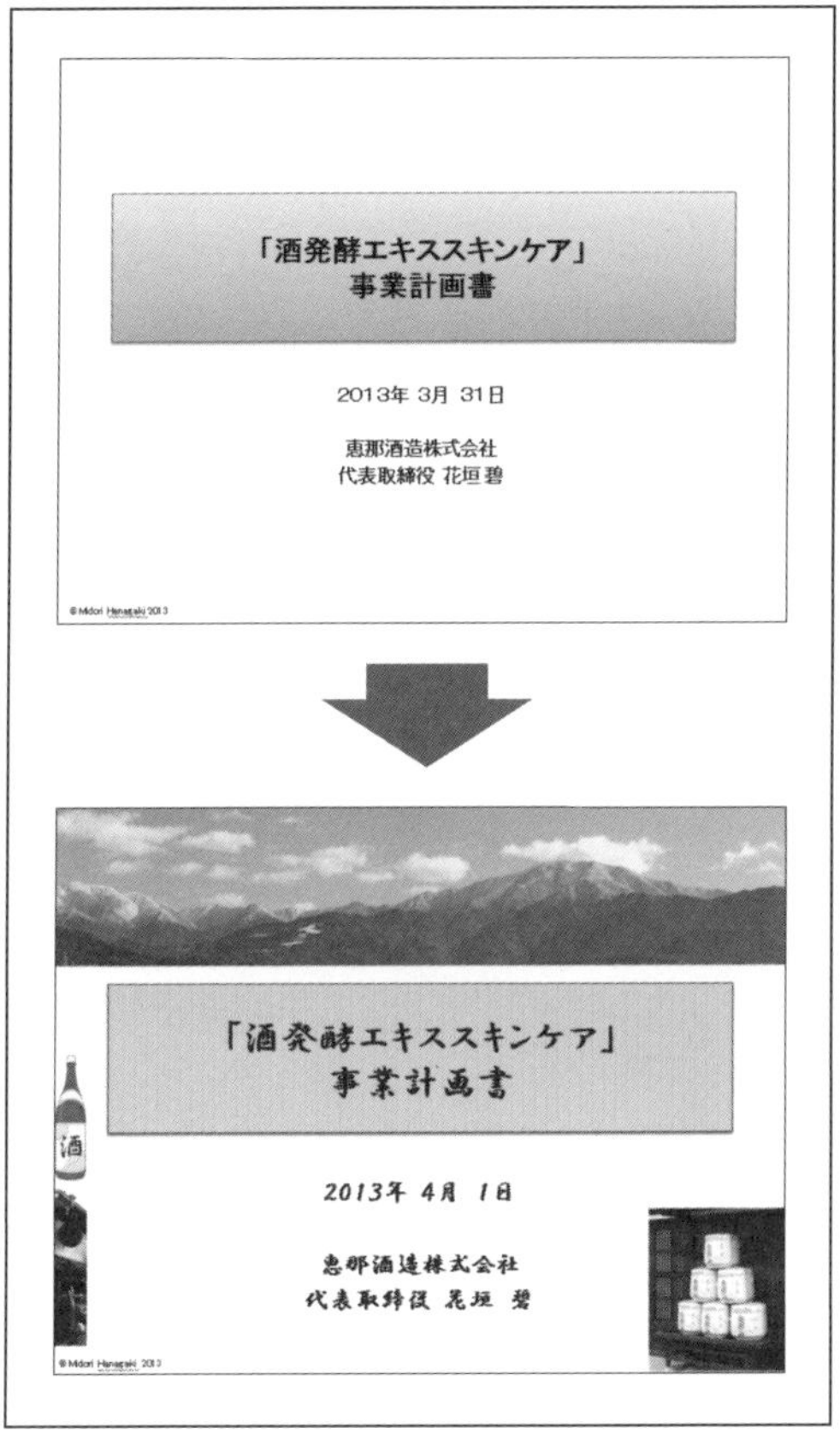

(3) ページレイアウト

テンプレートに従うと、事業計画書は20～30ページくらいの枚数になります。各ページのレイアウトは、見やすくなるように左記のように作成すると良いでしょう。

各ページは、大きく上から分けて3つのエリアからなっています。

①「ページタイトル」エリア
②「メッセージ」エリア
③「図表または説明文」エリア

全ページがこのようになるとは限らないのですが、標準的なレイアウトとして説明します。

「ページタイトル」には、そのページの内容を表す表題を入れます。あまり長くならないように工夫します。「メッセージ」エリアには、そのページで伝えたいことを簡潔な文章で表現します。文字の大きさは、なるべく16ポイント以上がいいでしょう。大きな会場でプレゼンする時に後ろの席から文字が読める大きさということです。たまに小さな文字でたくさん書く人がいます。これは、自分の考えをまとめるのに書き出すのにはいいのですが、他人に説明するには不向きです。いったんはたくさん書いても良いので、後で読み直して整理しましょう。

「図表または説明文」エリアには、メッセージで伝えたいことを、図や表、グラフ、箇条書きの文章、イラスト等の形で表現します。その際、レイアウトに注意しましょう。人の視線は、左から右、上から下に流れていきますから、そうした視線の自然な流れに合うようにレイアウトしていきます。例えば、歴史の年表は、左から右の順になっていますね。あれは、人間は時間軸を左（過去）から右（現在・未来）に向かって認識するからなのです。それが逆になっていると違和感を持ちます。途中で違和感を持つと、そこで引っかかってこちらの話にスムーズについてきてくれません。

ですから、自然な流れに合うように作ります。

図8－03 ページの各エリア

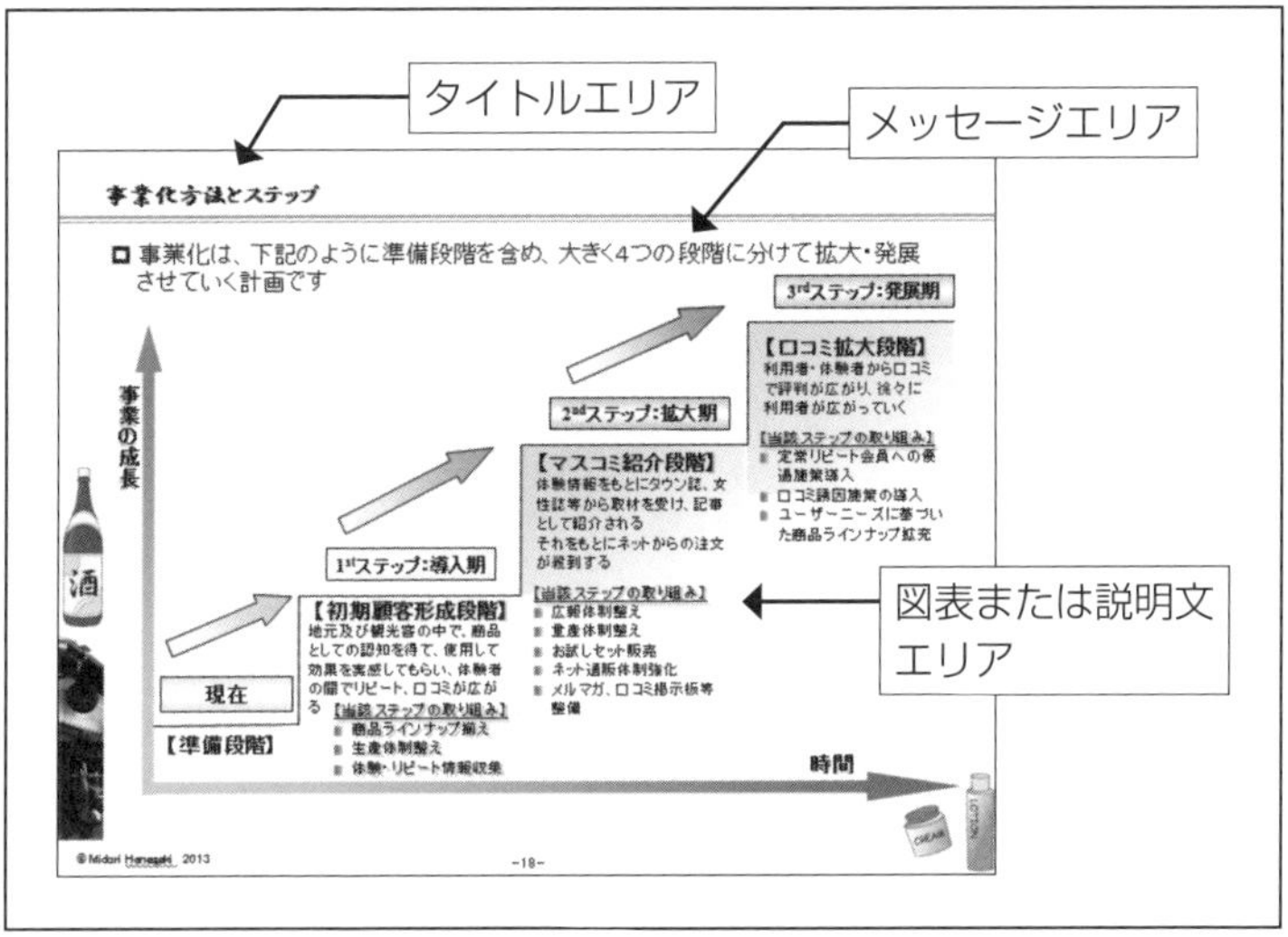
タイトルエリア
メッセージエリア
図表または説明文エリア
事業化方法とステップ
事業化は、下記のように準備段階を含め、大きく4つの段階に分けて拡大・発展させていく計画です
事業の成長
時間
現在
【準備段階】
1stステップ：導入期
【初期顧客形成段階】
地元及び観光客の中で、商品としての認知を得て、使用して効果を実感してもらい、体験者の間でリピート、口コミが広がる
【当該ステップの取り組み】
商品ラインナップ揃え
生産体制整え
体験・リピート情報収集
2ndステップ：拡大期
【マスコミ紹介段階】
体験情報をもとにタウン誌、女性誌等から取材を受け、記事として紹介される
それをもとにネットからの注文が殺到する
【当該ステップの取り組み】
広報体制整え
量産体制整え
お試しセット販売
ネット通販体制強化
メルマガ、口コミ掲示板等整備
3rdステップ：発展期
【口コミ拡大段階】
利用者・体験者から口コミで評判が広がり、徐々に利用者が広がっていく
【当該ステップの取り組み】
定常リピート会員への優遇施策導入
口コミ誘因施策の導入
ユーザーニーズに基づいた商品ラインナップ拡充
酒
© Midori Hanesaki 2013
-18-

▼（4）ビジュアル要素の入れ方

プレゼン資料は、見てもらうための資料です。読んでもらうことを前提に作ると、文章が多くなります。そうすると「読まないとわからない資料」になります。ところが、人間はよほど関心がないと読もうとはしません。ですから、見てもらいながら、その内容を語って説明する資料を作ります。見てもらうには、資料の中にビジュアル要素（図柄）が必要です。

ビジュアル要素には、①写真、②クリップアートという絵柄、②図表、③コンセプトチャート（概念図）の４種類があります。

①写真は、場所や建物、人物、商品や物の写真を使うことができます。ネットで検索して無料のコンテンツを使う方法と、自分で撮った写真を使う方法とがあります。著作権や肖像権には十分に注意して使いましょう。

②クリップアートは、人物や物、場面が漫画風

に描かれたものです。Microsoftでは、インターネットでいろいろなジャンルのクリップアートを提供しています。言いたいことの趣旨に合ったものであれば、効果的ですので、使ってみるといいでしょう。ただし、使いすぎは逆効果にもなります。

③図表もビジュアル要素のひとつです。表や図、グラフ等いろいろな表現方法があります。表は縦横の区分、要素を工夫して作ると内容が整理されます。トレンドを示すには折れ線グラフなどを使います。内訳を示すには円グラフを使います。グラフを使うときは、Excel上でグラフを作っておいて、それをコピーして貼りつけると扱いやすくなります。

④コンセプトチャートと言うとわかりにくいかもしれませんが、例えば、左から右に矢印を書いて、「変化する」という概念（コンセプト）を図式で表現します。概念を図表を使って表すので、コンセプトチャートと呼びます。PowerPointには、「スマートアート」と呼ぶ機能があり、標準的なコンセプトチャートを選択して、そこにテキスト入力すれば作れるようになっていて、大変便利です。

図8-04 コンセプトチャートの例

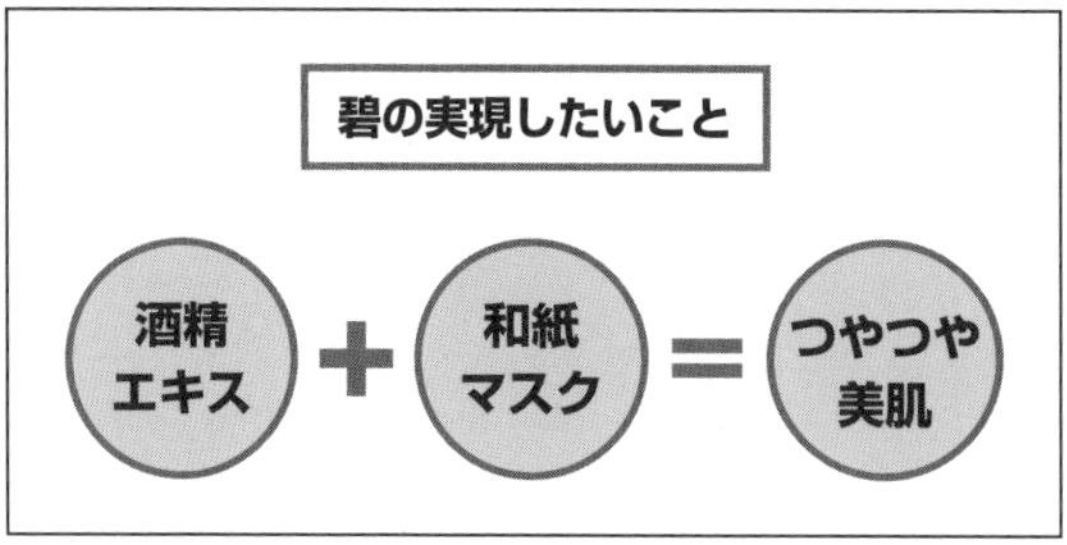
碧の実現したいこと
酒精
エキス
和紙
マスク
つやつや
美肌

02 全体の構成を見直す

▼まずは身近な人に説明してみる

PowerPointソフトを使って事業計画書、エクセルを使って事業収支計画が作れたら、全体の構成を見直します。事業計画書の大まかな流れは、ダウンロードして使える（2頁参照）Power Pointのファイルのテンプレートにあるの目次の通りで構いませんが、事業の内容により、商品・サービスにより順序を入れ替えたり、別の資料を追加したりする必要がでてきます。

そうした場合は、まず最初にお勧めするのが、作った資料を使って身近な人に説明を試みることです。自分で作った事業計画書を、自分でストーリー性を持ってきちんと語れるかどうかを試してみるのです。そうすると、自分でうまく説明できない部分や、資料にはないけれども追加で説明が必要な部分などが出てきます。それがわかったら、資料の入れ替えや、追加、加筆を行います。そうすることで、だんだんと自信を持って語れる事業計画書ができてきます。

避けたいのは、資料だけ作成して、いきなりプレゼンに臨むことです。頭の中でイメージしたストーリーだけでは、実際に話してみると勝手が違うことがままあります。それをやると失敗しやすいのです。

▼改良する場合はバージョン管理が必要

事業計画の説明の練習をしていると、説得力を出したり、商品をより魅力的に見せるために事業計画の内容をアレンジしたくなってくることがあります。そうした際は、バージョン管理と言って、ファイル名に日付とバージョン（版のこと）がわかるようにしておくといいでしょう。毎回上書きしてしまうと、以前話したことと内容が変わってきた場合、どこがどのように変わったか、自分でも追いかけることができなくなります。

それと、繰り返し自分で語ってみて、だんだんと説明方法を体で覚えていくといいでしょう。そうすると、だんだん、資料がなくても事業計画の説明ができるようになります。そこまでくれば、もうかなりのもので、事業計画の説明にかけては、マスターしたことになります。聴き手から見ても、頼もしく感じられるようになるでしょう。

碧も、小篠との作り込み、町のみんなへの説明で、だいぶマスターしてきたのではないかと思います。この事業、碧が次に小篠に出会う際には、いい報告ができるようになっているといいですね。それが何よりも小篠への恩返しになることでしょう。

図8−05 試行錯誤で内容をブラッシュアップする

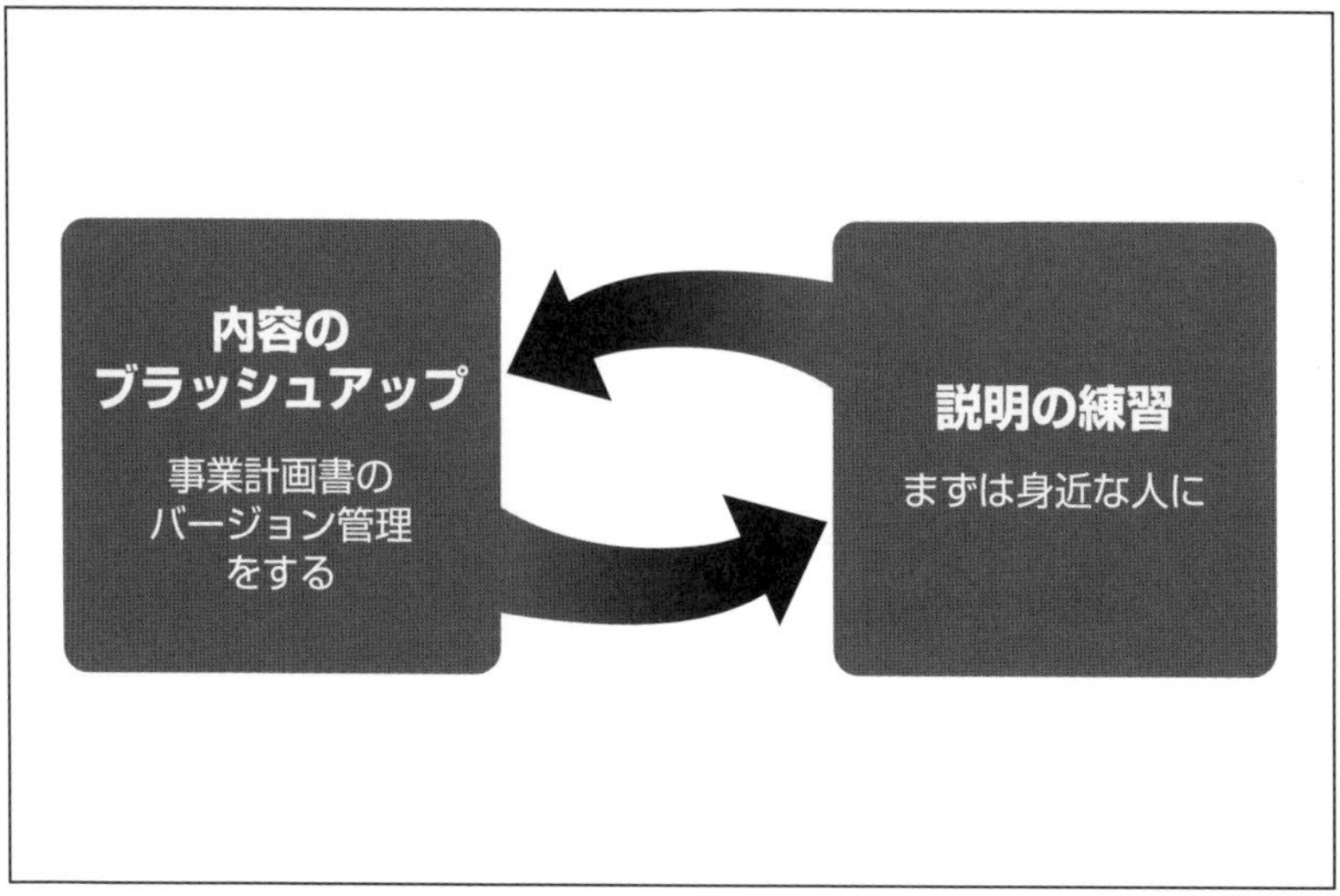

事業計画書サンプル

「酒発酵エキススキンケア」事業計画書

物語で最終的に碧がプレゼンした事業計画書を掲載します。これは、あくまでも汎用テンプレートのそのままのデザインですので、内容の参考にしてください。
エピローグで紹介したように、このように内容が固まったら、ビジュアル面の工夫を加えてプレゼンに臨みましょう。

表紙

「酒発酵エキススキンケア」
事業計画書

20○○年 3月 31日

恵那酒造株式会社
代表取締役 花垣 碧

1

事業計画書目次

I. はじめに
  1. 提案者プロフィール
  2. 提案の背景
  3. 事業の概要（含む事業コンセプト）

II. 事業計画概要
  1. ビジネスモデル
  2. 事業理念と事業ビジョン
  3. 顧客および顧客ニーズと市場規模
  4. 取扱商品・サービスと営業エリア
  5. ビジョン・ストーリー ― 感動の場面
  6. ペルソナと購入プロセス
  7. 競合と当該事業の重要成功要因
  8. 業務プロセス
  9. マーケティングプラン（商品・価格・チャネル・広告宣伝）

III. 当社が取り組むべき必然性 （社内新規事業提案の場合）
  1. 企業理念・経営ビジョンとの整合性
  2. 活かせる経営資源とその優位性
  3. 当社グループの成長にもたらされるもの

IV. 事業化方法とステップ
V. 事業収支計画とファイナンスプラン
VI. 事業責任者と経営体制
VII. 本提案に伴うリスク
VIII.今後の検討課題

-1-

2

提案者プロフィール 花垣 碧(はながき みどり)

・プロフィール

2004年3月 橘大学経営学部卒業
2004年4月 株式会社東京食品入社
　　　　　千葉工場総務課労務担当
2007年 調味料事業部マーケティング部
　　　　　プロモーション担当
2011年 一身上の都合で退職

＜信条＞ 自分に厳しく、人には思いやりを
＜強み＞ 粘り強く頑張れること
＜弱み＞ 意固地になりすぎる時がある
＜家族＞ 母と妹
＜趣味＞ 旅行、食べ歩き、ピアノ

3

提案の背景

■ 日本の伝統に基づいた自然なもので、女性を元気にしたい
- ストレスの多い現代社会で、敏感肌の女性は、お肌のことで悩んでいる人が多い
- 伝統的な酒造りから得られる「酒発酵エキス」を使って、お肌ケアに役立ててもらいたい

■ 寂れ行く地元に活気を取り戻したい
- 少子高齢化で活気がなくなってきた地元を、地元産の原材料を使った新しい商品・サービスを生み出し、活気を取り戻したい

■ 実家の酒屋を維持、発展させたい
- 江戸時代から続く造り酒屋の実家の父が急逝し、跡取りがいなかったが、自分がその遺志を継いで、伝統を守りたい

4

事業の概要

■ 事業コンセプト
- 酒発酵エキスたっぷり和紙マスクでつやつや美肌

■ 説明
- 昔から酒屋さんの奥さんは美肌だとか、杜氏の手はつやがあると言われていますが、近年の研究成果によると、それは、お酒に含まれるアミノ酸の効果によるものだとわかってきました。
- 私も、子供の頃、近所の子供達から、「お肌つるつるね」と言われてきましたが、都会に出てそれが失われて、初めて、それがお酒のエキスよるものだと分かりました。
- 実家の造り酒屋は、江戸時代から地元の人に愛される清酒造りに励んできましたが、残念ながら父が急逝し、女兄弟の我が家は、跡取りがいなくなってしまいました。
- 長女の私は、酒造りのことは皆目わかりませんでしたが、昔から協力してくれていた杜氏さんたちの助けもあり、何とか伝統のお酒を造り続けることができるようになりました。
- そして、私は、女性ではありますが、造り酒屋を継いでいく決心をしました。
- そして、女性としての特徴を生かすために、お酒の持つ素晴らしい効能を、世の中の女性の為にも役立てたいと思い、「酒発酵エキス」をたっぷり浸したパックを開発しました。
- 地元産の和紙に浸してあり、とてもつやつや効果が高い製品です
- ストレスの多い現代社会の女性お肌を元気にしたい
- そんな思いで、商品化、事業化しました

© Midori Hanagaki 20〇〇

-4-

「酒発酵エキス和紙パック」ビジネスモデル

5

■ 敏感肌の女性に、酒造りの工程でできる「酒発酵エキス」を和紙にたっぷりしみこませた美肌マスクを、地元の特産品として地元商店街・土産物店及びネットショップで販売します

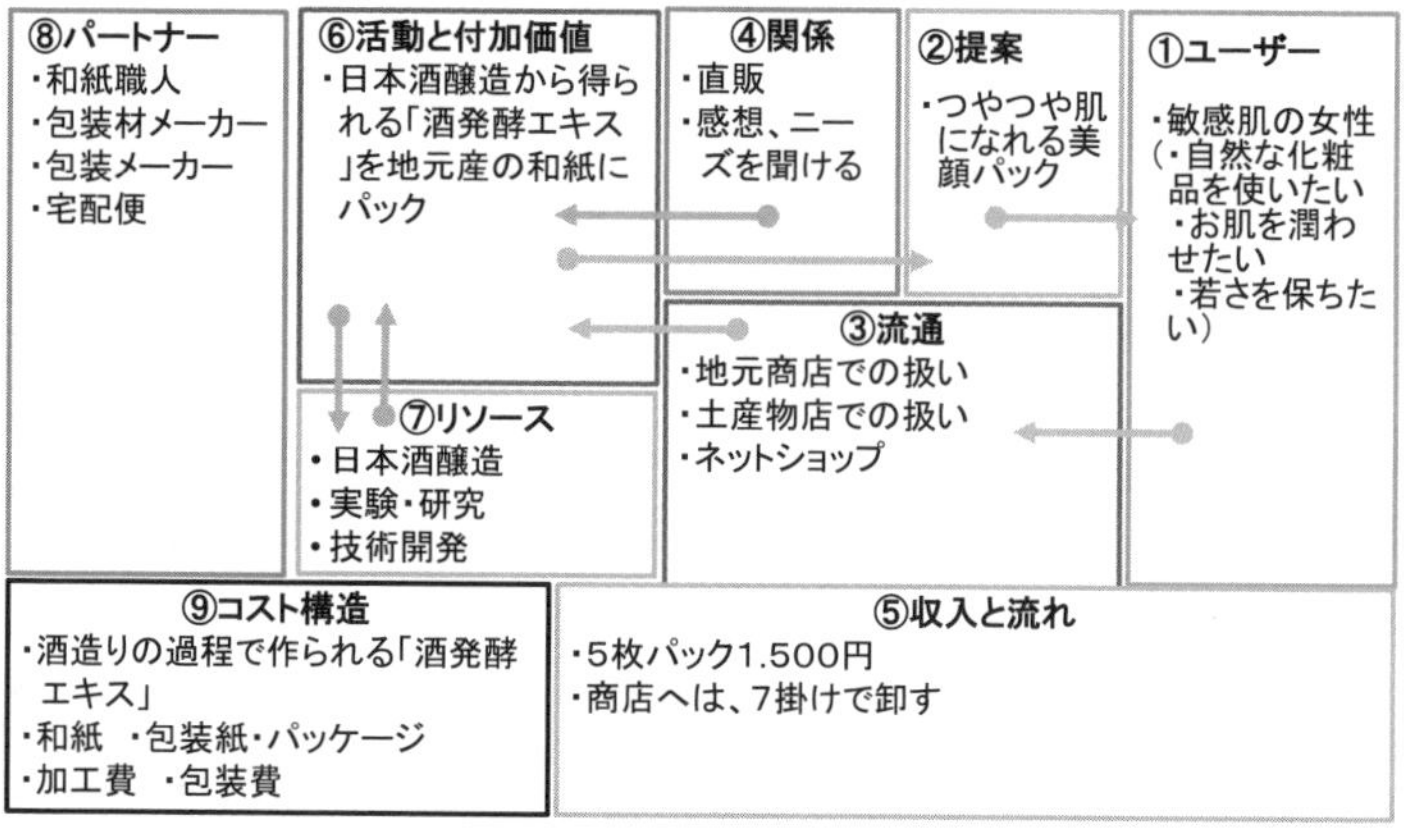
⑧パートナー
・和紙職人
・包装材メーカー
・包装メーカー
・宅配便
⑥活動と付加価値
・日本酒醸造から得られる「酒発酵エキス」を地元産の和紙にパック
④関係
・直販
・感想、ニーズを聞ける
②提案
・つやつや肌になれる美顔パック
①ユーザー
・敏感肌の女性
（・自然な化粧品を使いたい
・お肌を潤わせたい
・若さを保ちたい）
③流通
・地元商店での扱い
・土産物店での扱い
・ネットショップ
⑦リソース
・日本酒醸造
・実験・研究
・技術開発
⑨コスト構造
・酒造りの過程で作られる「酒発酵エキス」
・和紙　・包装紙・パッケージ
・加工費　・包装費
⑤収入と流れ
・5枚パック1.500円
・商店へは、7掛けで卸す

事業理念と事業ビジョン

6

■ 事業理念

- 人々の美容と健康に奉仕する
  - いつまでも若々しく健康にというのは、すべての女性の願いです
  - 私たちの先祖が代々伝統を受け継いで作り続けてきた日本酒には、お肌に潤いとつやをもたらす効果があることがわかっています
  - そのお酒を飲んで楽しんで頂くだけでなく、皆様の美容と健康にも役立てて頂きたいと思っています
  - 長生きができるようになった現代、いつまでも若々しくいて頂くお手伝いができればと思っています

■ 事業ビジョン

- 伝統的な素材の良さを活かし、美容と健康に奉仕する地元発活性化リーダーを目指します
  - 江戸時代から続く伝統のお酒から生まれる素材を活かして、地元の方々にも長く愛して頂くとともに、事業を多角化し、少しでも地元の活性化に役立てればと思っています

7

顧客および顧客ニーズと市場

ターゲット顧客	顧客層ア	顧客イ	顧客層ウ
プロファイル	地元の女性	敏感肌の女性（広義）	重い敏感肌（狭義）
顧客数	1,000人	約600万人	約60万人
ニーズ	手軽に肌ケアしたい	自然素材で、お肌に潤いを化粧品で肌荒れしたくない	重い肌荒れから解放されたい
その他	まず地元の女性に使ってもらい、良さを実感してもらって、それを梃に広めたい		

市場	規　模（金額・数量）	特　徴
国内市場全体	600億円	
セグメント1	約100億円	狭義の敏感肌（アトピー等）
セグメント2	約500億円	広義の敏感肌（肌荒れしやすい等）

8

取り扱い商品・サービス提供イメージ

項　目	商品・サービス1	商品・サービス2	商品・サービス3
事業コンセプト	酒発酵エキスでつやつや美肌		
提供するもの・こと（内容と価格感）	「酒発酵エキス和紙マスク」フェイスマスク 5枚セットで1,500円	「酒発酵エキス化粧水」100ml　1.300円	「酒発酵エキスクリーム」50g　1.200円
提供形態	箱入りセット	ボトル単位	ジャー単位
特徴	酒造りの過程でできるアミノ酸たっぷりの「酒発酵エキス」を含んだフェイスマスク。マスクは地元産和紙を使用	同じく酒発酵エキスいり無添加化粧水。水は、ミネラルたっぷりの湧水を使用。	同じく酒発酵エキス入りクリーム。顔や手等乾燥が気になる部分に使います
サービス提供エリア	全国、宅配料オーダー1回に付き500円	同左	同左

9〜11

ビジョン・ストーリーは、P134−135、144−147で大きく掲載していますので、そちらを参照してください。

ビジョン・ストーリー ― 感動の場面 その1：地元の女性

- 水野愛子、40歳。家族は夫と息子（15歳）と娘（12歳）。地元の市役所に勤めている。
- 最近、市で主催した地元の特産品展にお手伝いで参加したところ、珍しく美容パックや化粧水が展示されていた。「へぇ、うちの地元でもこんなものを作っているところがあるんだ」と思って、手に取ったところ、「製造業者 恵那酒造」と書いてある。「えっ！酒屋さんがこんなもの作っているの？」と驚いて、担当の人に尋ねたところ、若い女性が名刺を渡してくれながら、「酒精パック」や化粧水の話を説明してくれた。若いのに名刺には「代表取締役」と肩書に書いてある。「へぇ」と思いながら話を聞く。「昔から杜氏の手はきれいだ」といいますね。実は、お酒には、お肌にいい成分がいっぱい入っているんです。私も、造り酒屋に生まれて、学生時代によく、『お肌がきれいね』と云われていたんですが、実は、このお酒精のおかげだったんですね。そのことに最近気づいて、商品化したんです。私も1年前から使っているんですが、直接付けると、とてもいいですよ。」と紹介してくれる。どうやら造り酒屋の跡取り娘らしい。見ると、頬や額の辺りがつやつやしている。笑顔が感じのいい娘だ。
- そういえば、最近、毎年冬になると、肌がカサカサして困っていた。手や足はふつうのクリームでもいいが、顔の皮膚は敏感なので、大手化粧品メーカーのクリームを使って、肌が荒れたことがあった。「恵那酒造」といえば、昔からある造り酒屋さんだし、特産品として出している位だから、商品としては大丈夫なんだろうと思っていると、「よかったらお試しください」と云われたので、クリームを少量指に取って、手の甲に付けてみる。臭いを嗅いでみたが、酒臭くはなく、特に違和感は感じなかった。値段を見ると、クリームが1,200円とある。ふだん買う化粧品と値段も変わらないし、ちょうど今使っているのもそろそろ切れてきたので、一つ買って試すことにした。
- 使い始めて1週間、朝起きた時、鏡を覗き込んだ時に、肌の調子がよくなっているのに気付いた。カサカサしていないのだ。「あれっ、これってもしかしたら、あのクリームの所為かしら」と思って、使い続けることにした。
- 1ヶ月ほど使っていると、中学生の娘から、「あら、お母さん、最近、お肌の話あまりしなくなったわね。以前はよく、『最近、カサついちゃって』って言っていたのに。」と云われた。「そうなのよ。このお酒の精が入っているっていうクリームを試しに使っているんだけどね、調子がいいのよ。」と嬉しそうに応える。「へぇ、お酒の精が入っているの？そういえば、最近、ほっぺがつるつるしてきたわね。いいじゃないの。いいけど、お母さん、お酒の精で酔っぱらわないでね。」とからかう。「酔う訳ないわよ。飲むんじゃないだから。」と笑いながら答える。
- そして、クリームが切れた頃に、製造元に問い合わせると、その商品を取り扱っている地元のお店を教えてくれて、近くの行きつけの化粧品店でも扱い始めたことが分かったので、そこで買うことにした。「今度は、クリームと合わせて化粧水も使ってみるかな」とわくわくしながら次のことに想いをめぐらす愛子であった。

-9-

12

ペルソナと購入プロセス

ペルソナ設定						
年齢	性別	住所	家族構成	職業	年収	趣味
45歳	女性	東京都	夫、子供2人	主婦	1.000万円	旅行

購入プロセス	
Attention	年齢からか冬場のカサカサ肌に悩んでいた時、友達が「これ使ってみたら？」と酒発酵エキス化粧水を勧められた
Interest	「へぇ、お酒造りのプロセスでできるものなのか」と感心し、少量もらって手の甲に付けてみたところ、自宅に戻ってからもいい感じだったので、ひょっとして、これはいいかもと思った
Desire	ネットで検索すると、すぐに出てきて、利用者の声がたくさん載っていて、みな、「お肌がすべすべになった」「かさかさが治った」等と書いている。
Motive	お試しセット1,000円があったので、ダメでも惜しくないやと注文することにした。
Action	クレジットカードでも購入できるようになっているので、リピート購入のことを考え、名前と住所を登録して、会員になっておいた。

-12-

13

競合と当該事業の重要成功要因

■主たる競合と、当事業を比較すると以下のとおりとなる。

	当事業	競合A	競合B
会社名	恵那酒造	京都　福太屋	つやぬか美女JMAM化粧水（大和盛）
ターゲット顧客	敏感肌の女性	敏感肌の女性	敏感肌の女性
ニーズ	すべすべ肌になりたい	肌がうるおう	みずみずしく血行のいい肌を作りたい
商品・価格	フェイスマスク5枚　1,500円 化粧水100ml　1,300円 クリーム50g　1,200円	洗顔、美容液、化粧水等ラインナップ。 モイストパック5枚入り5,250円と高価	湧水と米ぬかの「つやぬか美女」シリーズ。120ml、1,575円とお手頃。 マスクはなし
販売方法	直販、オンラインショップ	直販、オンラインショップ、全国酒販店	直販、オンラインショップ
プロモーション	地元店頭、旅の口コミ、雑誌紹介	各種女性雑誌で紹介される	
強み・弱み	老舗の酒蔵、名水、和紙、実験結果	京都、江戸時代からの老舗酒蔵、「華正宗」ブランド。トライアルセット	新潟、「大和盛ブランド」、商品ラインナップ
資本金	1,000万円	3,000万円	5億5,000万円
売上	約1億円	不明	不明
経常利益	300万円	不明	不明
従業員数	10名	80名	250名
重要成功要因	老舗、効果、リピート、マスコミを通じた全国展開	京都ブランド、ラインナップ、マスコミ取り上げ	お酒の知名度、リピートユーザー

-13-

マーケティングプラン

14

■ 現在想定している商品、価格、チャネル、プロモーションに関する主な特徴は以下のとおりである。

商品・サービス	価　格
1.「酒発酵エキス和紙マスク」フェイスマスク 5枚セット 2.「酒発酵エキス化粧水」100ml 3.「酒発酵エキスクリーム」50g	1. セットで1,500円 2. 1本 1.300円 3. 1個 1.200円 送料 500円／パック
チャネル	**プロモーション**
・地元商店 ・土産物店 ・ネット通販	・地元及び旅行者の口コミ、土産 ・女性雑誌掲載

-14-

業務プロセス

15

■ 業務プロセスは、大きく(1)お客様から注文を頂いて出荷するプロセスと、(2)生産計画を立てて、調達、調合、充填、包装する生産プロセスと、(3)お客様の声等を受けて商品改良、新商品開発を行うプロセスからなっています

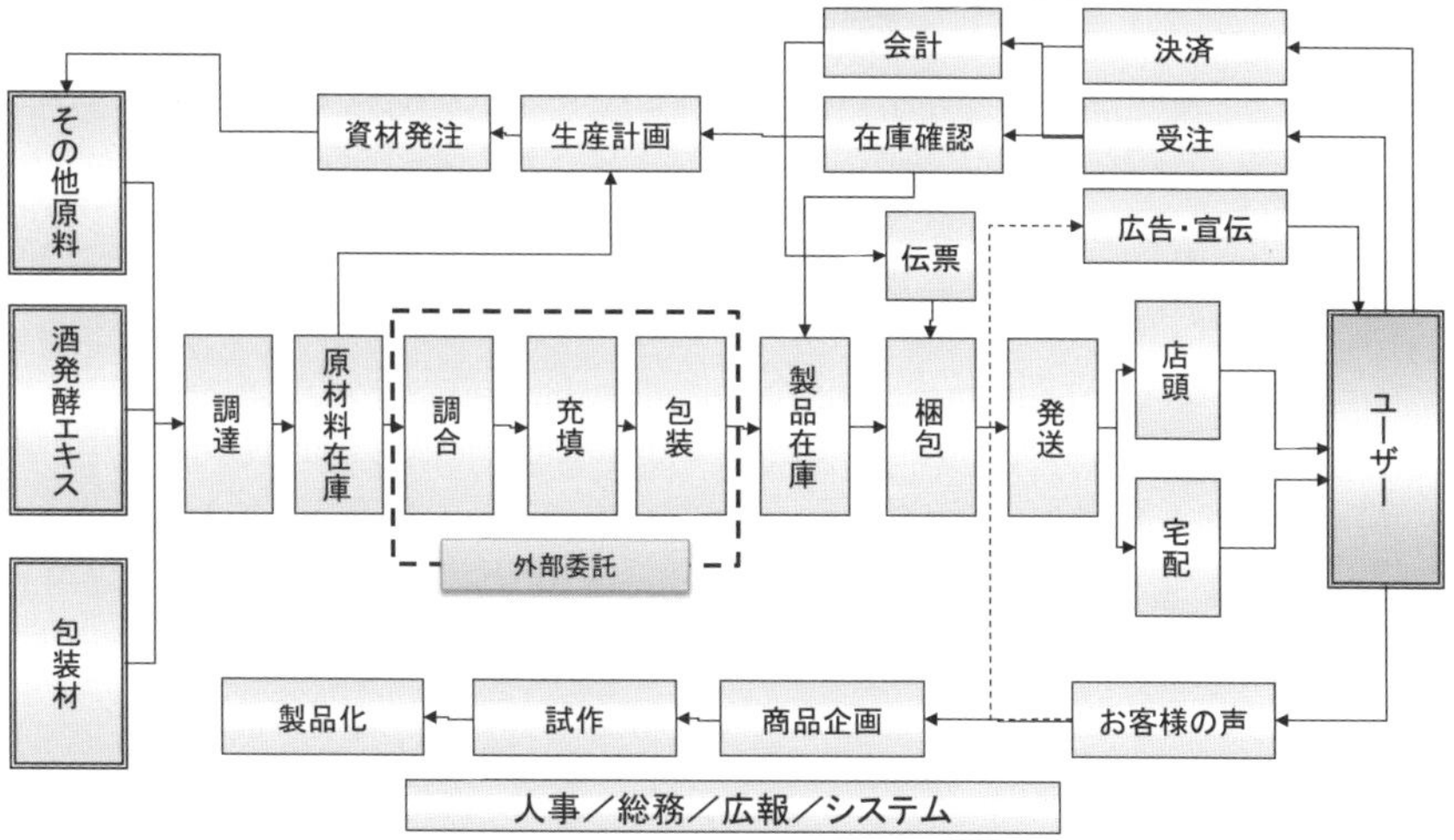

-15-

当社が取り組むべき必然性

16

1. 企業理念・経営ビジョンとの整合性
   - この「酒発酵エキス和紙マスク」及び関連商品は、江戸時代から続く当社の社是である「長久衆愛（長く人々に愛される商品作りに専心する）」に合致したものです

2. 活かせる経営資源とその優位性
   - この商品は、弊社の酒造りのプロセスから生まれるものを主原材料にしていて、それが持つ「肌に潤いとつやをもたらす」効果は、長い歴史の中で証明されてきています
   - また、近年では、科学的分析も進み、その効果・効能は、科学的にも証明されつつあります
   - 主原材料は、水、米、麹ともに地元産のものを使っており、産地から生まれた純正品です

3. 当社グループの成長にもたらされるもの
   - 酒造事業は、引き続き全国の品評会で賞を得られるように品質改良・商品開発に努めていきますが、この新商品により、全国の女性にもブランドと社名が知られるようになれば、酒造事業へのプラスの波及効果が期待されます

-16-

競争優位性（活かせる強み、経営資源を含む）

17

■ 活かせる強み

1. 主原材料
   - 主原材料である「酒発酵エキス」は、弊社の酒造りのプロセスから生まれる純正品です
   - そのお酒は、地元の名水、契約農家栽培のお米を使って作られており、正真正銘の地元産品です
   - また、その「潤いとつやをもたらす」効能は、これまでの利用者の体験から実証されています

2. ブランド
   - 江戸時代から続くお酒のブランド「恵那盛」の知名度があり、全国品評会でも複数回金賞を受賞していて、酒の愛好家、酒店には一定の認知度がある
   - パッケージに「恵那盛」の酒発酵エキス入りとすることで、ブランドに対する安心感が出せる

3. 顧客資産
   - 「恵那盛」の愛飲家は、地元のみならず全国にいて、認知度を持った潜在顧客がいます
   - 地元の女性の方々には化粧水、クリームの形で日々のお肌の手入れに使ってもらうようにし、リピート客となって頂きます
   - インターネット通販は、顧客購買履歴を残し、ブログやメールマガジン発行、はがき等の媒体を活用し、顧客資産を増やしていくようにします

-17-

事業化方法とステップ

18

■ 事業化は、下記のように準備段階を含め、大きく4つの段階に分けて拡大・発展させていく計画です

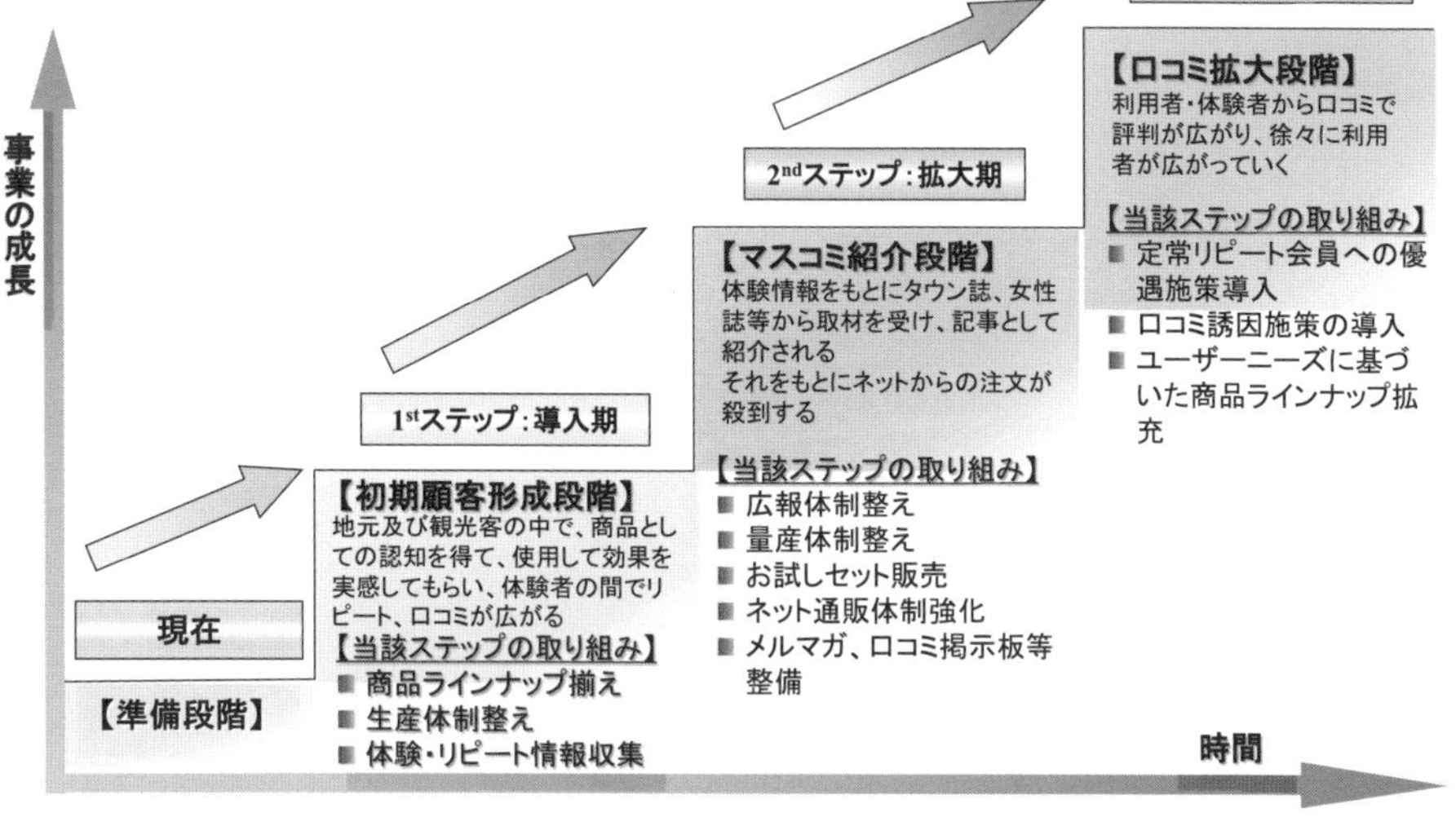
3rdステップ：発展期
【口コミ拡大段階】
利用者・体験者から口コミで評判が広がり、徐々に利用者が広がっていく
【当該ステップの取り組み】
■ 定常リピート会員への優遇施策導入
■ 口コミ誘因施策の導入
■ ユーザーニーズに基づいた商品ラインナップ拡充
2ndステップ：拡大期
【マスコミ紹介段階】
体験情報をもとにタウン誌、女性誌等から取材を受け、記事として紹介される
それをもとにネットからの注文が殺到する
【当該ステップの取り組み】
■ 広報体制整え
■ 量産体制整え
■ お試しセット販売
■ ネット通販体制強化
■ メルマガ、口コミ掲示板等整備
1stステップ：導入期
【初期顧客形成段階】
地元及び観光客の中で、商品としての認知を得て、使用して効果を実感してもらい、体験者の間でリピート、口コミが広がる
【当該ステップの取り組み】
■ 商品ラインナップ揃え
■ 生産体制整え
■ 体験・リピート情報収集
現在
【準備段階】
事業の成長
時間

事業収支の前提条件1（製造委託方式）

19

■ 売上げ関係
1. 「酒発酵エキス和紙マスク」フェイスマスク　5枚セットで1,500円
2. 「酒発酵エキス化粧水」 100ml　1.300円
3. 「酒発酵エキスクリーム」 50g　1.200円
4. 送料　500円／注文は顧客負担、販管費と相殺

■ 原価関係
1. 製造委託費
   ① 「酒発酵エキス和紙マスク」フェイスマスク　5枚セットで450円
   ② 「酒発酵エキス化粧水」 100ml　390円
   ③ 「酒発酵エキスクリーム」 50g　360円

■ 販管費関係
- 人件費　正社員　300千円／人・月
- 車両費　30千円／月
- 事務所賃料　20千円／月
- 電気・ガス・水道・電話　30千円／月

■ 投資関係
- 攪拌機、充填機、包装機は、外注先で調達。

事業収支計画 その1 製造委託方式 まずまず販売ケース

20

- 初期投資額　50万円（ソフトウェア）
- 売上高　初年度 100万円 5年度2，000万円
- 利益率　初年度 －600％ 5年度25％
- 累損回収　5年目で累積損益黒字化せず
- IRR　計算不可

年度	1年度	2年度	3年度	4年度	5年度
売上高	1,019	2,500	4,813	12,375	19,938
経常利益	−6,649	−5,663	−4,138	950	4,502
累積経常利益	−6,649	−12,311	−16,449	−15,499	−10,997
総販売数量	900	2,100	4,000	10,000	16,000

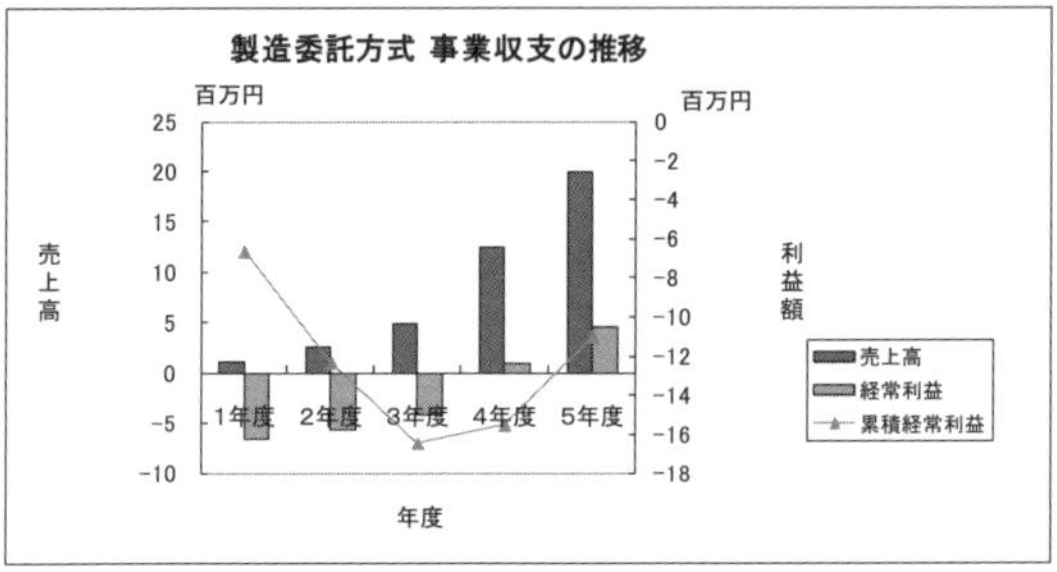

-20-

事業収支計画 その2 製造委託方式 販売伸張ケース

21

- 初期投資額　50万円（ソフトウェア）
- 売上高　初年度 100万円 5年度5，000万円
- 利益率　初年度 －600％ 5年度43％
- 累損回収　5年目で累積損益黒字化
- IRR　7．6％

年度	1年度	2年度	3年度	4年度	5年度
売上高	1,019	3,875	15,813	26,125	50,188
経常利益	−6,649	−6,236	491	5,967	21,069
累積経常利益	−6,649	−12,885	−12,394	−6,427	14,641
総販売数量	900	3,100	12,000	20,000	38,000

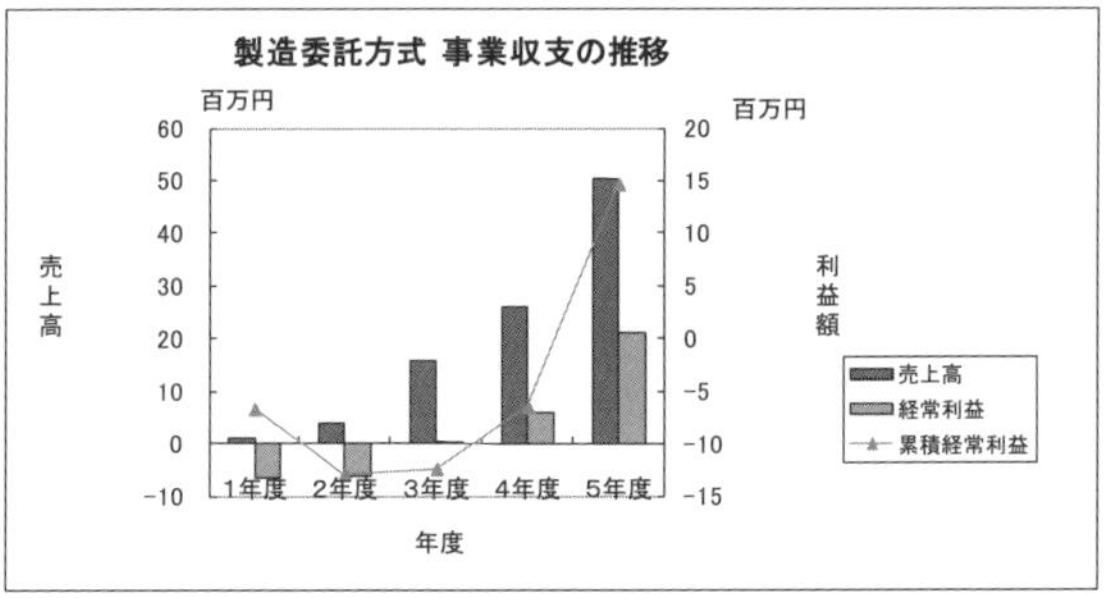

-21-

事業収支の前提条件2(自社生産方式)

22

- ■ 売上げ関係
  1. 「酒発酵エキス和紙マスク」フェイスマスク 5枚セットで1,500円
  2. 「酒発酵エキス化粧水」 100ml 1.300円
  3. 「酒発酵エキスクリーム」 50g 1.200円
  4. 送料 500円／注文は顧客負担、販管費と相殺
- ■ 原価関係
  1. 原材料費
     - ① 「酒発酵エキス和紙マスク」フェイスマスク 5枚セットで150円
     - ② 「酒発酵エキス化粧水」 100ml 130円
     - ③ 「酒発酵エキスクリーム」 50g 120円
  2. 労務費(必要な場合)
     - ① 正社員 300千円／人・月
     - ② パート・アルバイト 800円／人・時 → 128千円／人・月
  3. 経費
     - ① 電気・ガス・水道・電話 50千円／月
     - ② 工場 賃料 40千円／月
- ■ 販管費関係
  - ● 人件費 正社員 300千円／人・月
  - ● 車両費 30千円／月
  - ● 事務所賃料 20千円／月
  - ● 通販サイト維持費 20千円／月
- ■ 投資関係
  - ● 攪拌機、充填機、包装機は、各100万円ずつ、計300万円

-22-

事業収支計画 その3 自社生産方式 販売伸張ケース

23

- ■ 初期投資額　350万円(機械設備、ソフトウェア)
- ■ 売上高　初年度 100万円 5年度5, 000万円
- ■ 利益率　初年度 −700% 5年度43%
- ■ 累損回収　5年目で累積損益黒字化
- ■ IRR　−6. 8%

年度	1年度	2年度	3年度	4年度	5年度
売上高	1,019	3,875	15,813	26,125	50,188
経常利益	−7,874	−7,576	−1,856	4,285	21,145
累積経常利益	−7,874	−15,450	−17,305	−13,020	8,124
総販売数量	900	3,100	12,000	20,000	38,000

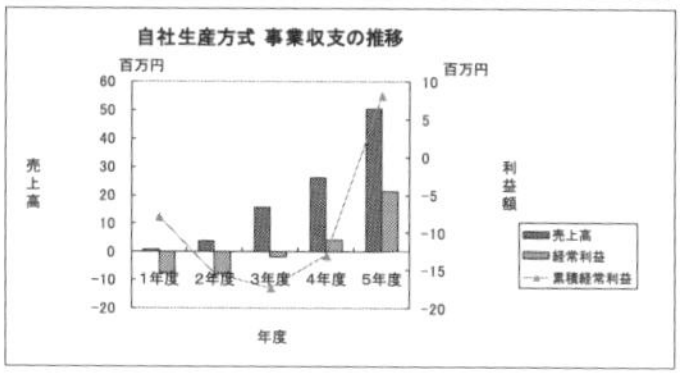

-23-

生産方式についての考え方

24

- ■ 委託生産方式と自社生産方式について、一定の前提条件をもとに事業収支の資産をした結果、
  - ● 販売数量が少ないうちは、委託生産方式の方が収益性がよいため、当初は、委託生産方式からスタートすることとしたい
  - ● 販売数量が1万個を超えるようになったら、自社生産方式への移行を検討し、2万個以上になったら、自社生産方式に切り替えることとしたい

-24-

ファイナンスプラン

25

- ■現時点で基軸と考えている事業収支計画は、製造委託方式による販売伸張ケースです
- ■このケースの事業収支をキャッシュフローで見ると下記の通りと想定しています
- ■本計画では、事業開始1年目、2年目で営業キャッシュフローがマイナスとなるため、事業スタート時に一定の資金が必要です
- ■また、途中資金ショートしないように、当初資金を20百万円と見積もりました
- ■酒造事業で蓄積した元手もありますが、地元金融機関からの借入も多く、新規事業投資には新たな資金の担い手が必要と考えます
- ■マーケティング政策が成功し、販売が順調に伸びた場合には、事業開始4年目からは、1割またはそれ以上の返済ないし配当が可能となると見込んでいます
- ■本事業の意義、将来性に期待して頂ける方々からの出資ないし融資をお願いいたします
- ■なお、本事業が成功した際には、酒造事業へのプラスの波及効果も期待でき、酒造事業の資金状況も改善するものと考えます

項目			0年度	1年度	2年度	3年度	4年度	5年度
キャッシュフロー	営業キャッシュフロー		0	-4,924	-4,781	1,217	4,514	13,588
	投資キャッシュフロー		-500	0	0	0	0	0
		設備（原価分）						
		設備（販管費分）	-500					
	フリーキャッシュフロー		-500	-4,924	-4,781	1,217	4,514	13,588
	財務キャッシュフロー	資本金	12,000					
		借入金	8,000					
		借入金元本返済		-500	-500	-1,000	-1,000	-1,000
		借入金残高	8,000	7,500	7,000	6,000	5,000	4,000
		配当金						
		合計	20,000	-500	-500	-1,000	-1,000	-1,000
	ネット・キャッシュフロー		19,500	-5,424	-5,281	217	3,514	12,588
	キャッシュ残高		19,500	14,076	8,795	9,012	12,526	25,113

-25-

事業責任者と経営体制

26

■ 事業責任者

- ● 代表取締役　花垣　碧

■ 経営体制

- ● 準備期：代表と調達・製造責任者の2名体制で運営
  - ・ 調達・製造責任者は、当面醸造部門の責任者を兼ねることとする
- ● 導入期：店番兼接客担当をパート・アルバイトで運営
- ● 拡大期・発展期は、業務量に応じて人員体制を強化

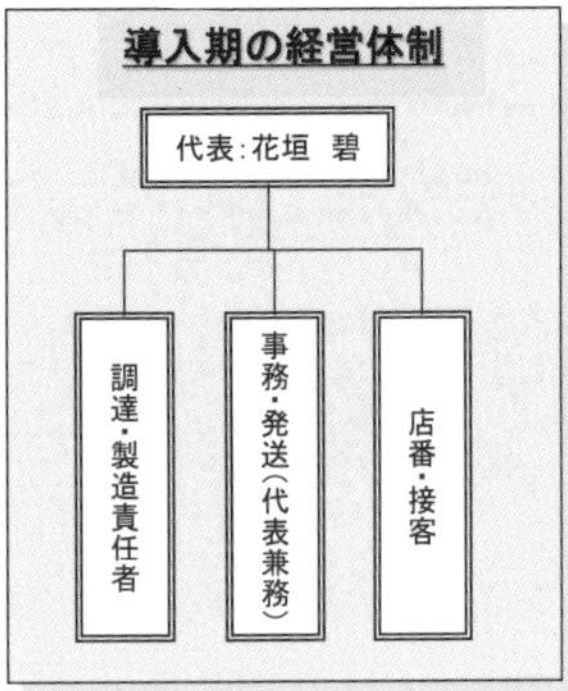

-26-

27

本提案に伴うリスクと対応

	想定されるリスク	対応策案
1	・アトピーなどの症状が悪化した等のクレームが来る可能性あり	・基本的に代表が対応し、返金等の誠意を示す行動は取るが、弁償・治療費負担には至らないように交渉する
2	・代金回収できないエンドユーザーが出てくる	・基本的に、店頭は現金商売、ネットはクレジットまたは代引き（代引き手数料は顧客負担）で信用取引は行わない
3	・販売店から売れ残りの回収を求められる	・取扱い当初は委託販売を行うが、3ケ月以上取引が続く場合は、買取に移行してもらう ・委託販売の手数料と買取の場合の粗利とは差を付け、買取へ導く
4	・通販サイトから購買履歴等のデータが紛失する	・1回／月のペースでレポートを出してもらうとともに、顧客データ、履歴データは、Excelでバックアップを取る
5	・通販サイトが事業継続できなくなる	・なるべく大手で、事業継続性の信頼できる会社を選ぶ
6	・注文が多くなり、生産が追い付かなくなる	・雑誌掲載時などは事前に増産対応を取り、在庫をふだんよりも多めに持つようにする ・委託工場のキャパを確認しておき、頻発するようであれば、自社生産に切り替える（3ケ月毎に見通しを立てる）

27

28

今後の検討課題

■ 今後の検討課題としては、以下の項目があり、さらに具体化してクリアしていきたい

	項　目	内　容
1	販売数量見込み	競合他社の販売実績を参考に設定しているが、当社のブランド力、マーケティング力から実現可能か検証する必要がある
2	卸売ルートの開拓	販売開始初期には、近隣の小売店に卸し、この地方での知名度を上げる必要があり、卸売ルートの開拓を行う必要がある
3	ネット通販サイトの構築	通販サイトは、販売開始当初からスタートするため、通販サイト構築経験のある企業を探し当て、サイト構築依頼を行う必要がある
4	商品間のバランス	現状、マスク100に対して化粧水50、クリーム50としているが、初期のテスト販売結果をみながら販売数量バランスの精度を上げていきたい
5	商品の効能	当該地方の大学・研究機関に依頼し、商品の効能を研究・実験結果として謳えるようにする必要がある
6	より強固な差別化	酒蔵が作る化粧品は出始めており、それら類似品に対してより明確な差別化を訴える必要がある
7	口コミを活発化する仕組み	本商品は、顧客のリピート利用、そこからの口コミによる販売に大きく依存しているため、その乗数効果を得られるようにマーケティングを工夫する必要がある
8	原価見積もり	原価は、見積もり取得結果ではなく、当方による推定見積もりのため、きちんと対象となる企業から見積もり取得する必要がある
9	必要人員数見積り	必要人員は、シミュレーション上の人数であり、実際のオペレーションでは、より多くの人員が必要になる可能性もあるため、実際のオペレーションに近いシミュレーションを行う必要がある
10	経費項目と金額の詳細化	経費項目と金額は、醸造所の実績に基づいて推計したものであり、実際に使ってみないと詳細化しにくい状況である

-28-

記入日	2○○○年○月○日
記入者	花垣 碧

項目	事業収支計算の前提条件（製造委託方式）			
			上代（小売値）	下代（卸値）
売上	単価	和紙マスク	1,500 円	1,125 円
		化粧水	1,300 円	975 円
		クリーム	1,200 円	900 円

単位：千円

項目	区分	品目	導入→ 1年度	2年度	拡大→ 3年度	4年度	展開→ 5年度
売上	小売販売数量	和紙マスク	200	1,000	5,000	8,000	16,000
		化粧水	200	500	2,500	4,000	8,000
		クリーム	200	500	2,500	4,000	8,000
		合計	600	2,000	10,000	16,000	32,000
	卸販売数量	和紙マスク	300	500	1,000	2,000	3,000
		化粧水	150	300	500	1,000	1,500
		クリーム	150	300	500	1,000	1,500
		合計	600	1,100	2,000	4,000	6,000
	合計販売数量	和紙マスク	500	1,500	6,000	10,000	19,000
		化粧水	350	800	3,000	5,000	9,500
		クリーム	350	800	3,000	5,000	9,500
	総販売数量		1,200	3,100	12,000	20,000	38,000
	販売金額	和紙マスク	638	2,063	8,625	14,250	27,375
		化粧水	406	943	3,738	6,175	11,863
		クリーム	375	870	3,450	5,700	10,950
原価	仕入原価	和紙マスク	450 円				
		化粧水	390 円				
		クリーム	360 円				
	仕入額	和紙マスク	225	675	2,700	4,500	8,550
		化粧水	137	312	1,170	1,950	3,705
		クリーム	126	288	1,080	1,800	3,420
販管費	人件費	正社員	3,000 千円／年				
		パート・アルバイト	1,536 千円／年				
	人員						
	正社員数		1.5	1.5	1.5	1.5	1.5
	パート・アルバイト			1.0	2.0	3.0	4.0
	人件費		4,500	6,036	7,572	9,108	10,644
	オフィス賃料		240	240	240	240	240
	電気・ガス・水道・電話		360	360	360	360	360
	通販サイト維持費		240	240	240	240	240
	車両費		360	360	360	360	360
設備投資 建物	既存の建物を使用						
設備	機械設備		製造委託方式に付き機械設備なし				
	ハードウェア						
			初期	2年目以降			
	ソフトウェア		500				

投資回収計算の前提条件		
投資償却		償却方法
建物	20年	定額
設備（ソフトウェア）	5年	定額
借入金利	2%	
ハードルレート（割引率）	5%	

名称	酒発酵エキス和紙マスク事業

事業収支計画表

（製造委託方式）

単位：千円

	項目		0年度	1年度	2年度	3年度	4年度	5年度
事業収支	売上高	売上高計	0	1,419	3,875	15,813	26,125	50,188
		和紙マスク		638	2,063	8,625	14,250	27,375
		化粧水		406	943	3,738	6,175	11,863
		クリーム		375	870	3,450	5,700	10,950
	売上原価	売上原価計	0	488	1,275	4,950	8,250	15,675
		（原価率）	0.0%	34.4%	32.9%	31.3%	31.6%	31.2%
		和紙マスク		225	675	2,700	4,500	8,550
		化粧水		137	312	1,170	1,950	3,705
		クリーム		126	288	1,080	1,800	3,420
	売上総利益（粗利）		0	931	2,600	10,863	17,875	34,513
	販管費	販管費計	0	5,800	7,336	8,872	10,408	11,944
		（販管費率）	0.0%	408.8%	189.3%	56.1%	39.8%	23.8%
		人件費		4,500	6,036	7,572	9,108	10,644
		オフィス＆光熱費		1,200	1,200	1,200	1,200	1,200
		広告宣伝費　他						
		減価償却費	0	100	100	100	100	100
	営業利益		0	-4,869	-4,736	1,991	7,467	22,569
		（営業利益率）	0.0%	-343.2%	-122.2%	12.6%	28.6%	45.0%
	営業外収益							
	営業外費用	営業外費用計	0	155	145	130	110	90
		支払金利		155	145	130	110	90
	経常利益		0	-5,024	-4,881	1,861	7,357	22,479
		（経常利益率）	0.0%	-354.1%	-126.0%	11.8%	28.2%	44.8%
	特別利益							
	特別損失							
	税引前当期利益		0	-5,024	-4,881	1,861	7,357	22,479
	法人税等		0	0	0	744	2,943	8,991
	税引後当期利益		0	-5,024	-4,881	1,117	4,414	13,488
		（税引後当期利益率）	0.0%	-354.1%	-126.0%	7.1%	16.9%	26.9%

	項目		0年度	1年度	2年度	3年度	4年度	5年度
キャッシュフロー	営業キャッシュフロー		0	-4,924	-4,781	1,217	4,514	13,588
	投資キャッシュフロー		-500	0	0	0	0	0
		設備（原価分）						
		設備（販管費分）	-500					
	フリーキャッシュフロー		-500	-4,924	-4,781	1,217	4,514	13,588
	財務キャッシュフロー	資本金	12,000					
		借入金	8,000					
		借入金元本返済		-500	-500	-1,000	-1,000	-1,000
		借入金残高	8,000	7,500	7,000	6,000	5,000	4,000
		配当金						
		合計	20,000	-500	-500	-1,000	-1,000	-1,000
	ネット・キャッシュフロー		19,500	-5,424	-5,281	217	3,514	12,588
	キャッシュ残高		19,500	14,076	8,795	9,012	12,526	25,113

	項目	0年度	1年度	2年度	3年度	4年度	5年度
償却費	減価償却費		100	100	100	100	100
	設備（原価分）当期償却額		0	0	0	0	0
	償却額累計		0	0	0	0	0
	簿価	0	0	0	0	0	0
	設備（販管費分）当期償却額		100	100	100	100	100
	償却額累計		100	200	300	400	500
	簿価	500	400	300	200	100	0

投資回収	現在価値		-500	-4,689	-4,337	1,051	3,714	10,646
	正味現在価値		5,885					
	割引率	5.0%						
	内部収益率（ＩＲＲ）		21.9%					

注：［着色］エリアは入力しない（自動計算等のため）

［白地］エリアに数値または計算式入力

【著者紹介】
井口　嘉則（いぐち　よしのり）
株式会社ユニバーサル・ワイ・ネット　代表取締役
オフィス井口　代表
中央大学ビジネススクール客員教授、立教大学経営学部講師
対外経済貿易大学客員教授（中国・北京）
1957年生まれ。東京大学文学部社会学科卒業、シカゴ大学MBA。
日産自動車にて情報システム部門、海外企画部門を経験、中期計画・事業計画を担当。三和総合研究所（現三菱UFJリサーチ＆コンサルティング）にて、中堅〜大企業向けに新規事業をはじめ、数多くの経営コンサルティング案件を手がけ、10年で100案件をこなす。その後、フューチャーアーキテクトにて、ITを駆使した経営改革を目指したコンサルティングサービスを提供し、新規事業の企画〜導入・立上げまでを支援。イニシア・コンサルティングにてエグゼクティブコンサルタント。クライアント企業の新規事業企画・社内ベンチャー制度運営アドバイザーや、ワークショップ方式の企業研修講師を多く務める。研修企画・講師実績多数。研修・セミナー等は年間150回ペースで実施。
著書：『ゼロからわかる事業計画書の作り方』『できる・使える 事業計画書の書き方』（小社刊）、『中期経営計画の立て方・使い方』（かんき出版）等多数。
オフィス井口のホームページに最新のセミナー情報、事例、受講者の感想等を掲載
http://www.iguchi-yoshinori.com/

編集協力／トレンド・プロ
イラスト 作画／飛高 翔

マンガでやさしくわかる事業計画書
ダウンロードサービス付

2013年4月30日 初版第1刷発行
2017年6月10日 第18刷発行

著 者——井口嘉則

発行者——長谷川 隆
発行所——日本能率協会マネジメントセンター
〒103-6009 東京都中央区日本橋2-7-1 東京日本橋タワー
TEL 03(6362)4339(編集)／03(6362)4558(販売)
FAX 03(3272)8128(編集)／03(3272)8127(販売)
http://www.jmam.co.jp/

装 丁——ホリウチミホ（ニクスインク）
本文DTP——株式会社明昌堂
印刷所——広研印刷株式会社
製本所——星野製本株式会社

ISBN 978-4-8207-4835-9 C2034
落丁・乱丁はおとりかえします。
PRINTED IN JAPAN